D1485452

SCRIPTORVM CLASSICORVM

BIBLIOTHECA OXONIENSIS

OXONII

E TYPOGRAPHEO CLARENDONIANO

MENANDRI

DYSCOLVS

RECENSVIT

H. LLOYD-JONES

IN VNIVERSITATE OXONIENSI LITTERARVM
GRAECARVM PROFESSOR REGIVS

OXONII
E TYPOGRAPHEO CLARENDONIANO

OXONII

Excudebat Vivianus Ridler

Architypographus academicus

© *Oxford University Press 1960*

FIRST PUBLISHED 1960
REPRINTED LITHOGRAPHICALLY IN GREAT BRITAIN
AT THE UNIVERSITY PRESS, OXFORD
FROM CORRECTED SHEETS OF THE FIRST EDITION
1963, 1966, 1967, 1970

PRAEFATIO

Codex ille papyraceus quo continebantur alia ut videtur Menandrea et *Dyscolus* paene tota unde et quando devenerit in bibliothecam nobilissimi illius librorum emptoris Martini Bodmer plane incertum est; Panopoli esse repertum suspicatur E. G. Turner (*The Times*, 6 June 1959, p. 7). Fabulam primus edidit Victor Martin Genavensis (Papyrus Bodmer IV: *Ménandre, Le Dyscolos*: Bibliotheca Bodmeriana, 1958), cuius liber mense Martio A.D. 1959 primum ad bibliopolas venit. Simul codicis foliorum undecim imagines phototypicas publici iuris fecit.

De codice non est cur hic multa scribam. Ab undevicesima pagina incipit Dyscolus; quae alia continuerit, adhuc ignoramus. Vna et viginti paginis continetur haec fabula, altitudinem 27·5 cm., latitudinem vero 13 cm. habentibus. Octavum autem folium fere 3 cm. brevius est quam cetera; vide Turner, loco p. xi laudato, p. 62. Codicem tertio post Christum natum saeculo vergente confectum opinatur C. H. Roberts. Scriptura obliqua, angularis, minuta, inelegans, manibus curialibus illius aetatis similis; scripturam P. Antinoop. No. 15, p. 30 confert Roberts. Decimum autem folium a secunda manu confectum est; scriptura aliquanto maior est et quibusdam cursivis contemporaneis propinquior.

Loquentium alternationes duplici puncto et paragrapho sublineari notantur, non sine multis erroribus; nomina loquentium interdum in margine ascribuntur; puncto simplici in media linea posito satis frequenter interpungitur. In prioribus paginis accentus crebrius sparguntur, alibi raro; spiritus sive angulares sive rotundi haud rari; apostrophi frequentes, etiam post οὐκ (de quo videas adnotationem

R. Pfeifferi ad Callim. frag. 43, 79). Paucis locis deficit codex; perisse non amplius duodecim versus opinatur editor primus; aliquanto saepius est mutilatus. Corruptelis vero undique scatet textus; qui quantopere sit inquinatus facile videbit qui vv. 447–53 cum Athenaei, vv. 797–812 cum Stobaei citatione comparaverit. Ideo longe abest ut sperare audeam Dyscoli editionem quae per longum spatium temporis lectoribus sufficiat me nunc, brevi tempore post primam editionem, conficere posse.

Rationem huius editionis paucis verbis possum edere. Codicem quidem ipsum non mihi contigit ut inspicerem; imagines autem phototypicas adiuvantibus D. L. Page, C. H. Roberts, J. W. B. Barns de integro excussi, ex qua collatione tota pendet haec editio. Varietates lectionis quae ad orthographiam tantum spectant plerumque silentio praetermisi. Sunt in textu aliquot loci de quorum medela despero; hos obelo notavi. Sunt autem aliquot lacunae quas ex coniectura explere non sum ausus. Hermanno enim illi valde assentio, qui quandam etiam nesciendi artem et scientiam esse pronuntiavit.

Restat ut amicis qui summa benevolentia mihi subvenerint gratias referam. Primum coniecturas suas mecum communicaverunt E. A. Barber, W. S. Barrett, E. Fraenkel, P. Maas, D. L. Page, C. H. Roberts, quas cum meis nonnullis mense Maio ad prela misi; operariis autem prelorum officium denegantibus mense denique Octobri in lucem prodiit ephemeris illa qua continebantur (vide Bibliographiam, p. x). Deinde novas emendationes mihi impertiverunt et alii viri docti, quorum nomina p. xi exscripsi, et imprimis F. H. Sandbach. Interea autem *Dyscoli* emendationes proposuerunt multi viri docti, quorum plerisque ob libellos benigne mihi donatos gratias ago. Ad Londiniensis Universitatis seminarii sodales iam mense Septembri A.D. 1958 codicis transcriptionem detulerat editor primus. Multum in textu emendando effecerunt Londinienses, ex quibus praecipue gratias refero E. W. Handley, multum Sydneienses, multum vero amicus meus R. Kassel Herbipolitanus, qui nondum editas coniecturas suas mecum communicavit. Etiam in plagulis corrigendis diligenter suam mihi\operam navaverunt Barber, Handley, Kassel, Page, Sandbach. Totum denique textum iterum atque iterum perscrutanti semper mihi aderat Paulus Maas; quod quid significet novit quicquid est ubique doctiorum. Horum tot ac tantorum virorum auxilio plane indignam fore meam operis partem cum pro certo habeam, simul ab omnibus veniam peto, simul omnibus gratias ago plurimas.

H. Lloyd-Jones

Scribebam Oxonii,
mense Novembri, MCMLIX

BIBLIOGRAPHIA

Hic ea tantum opera enumeravi quae iam tum videram cum primas plagulas huius editionis correxi. Bibliothecam absolutam et etiam posterius edita continentem invenies apud *The Classical World*, vol. liii, 277–80, 296–8, New York, June, 1960.

A. BARIGAZZI. 'Note critiche al *Dyscolos* di Menandro'. Loescher, Torino; postmodo apud *Rivista di filologia classica*, N.S. 38, 1959, pp. 119 et seq. editum.

—— 'Nuove note al *Dyscolos* di Menandro', *La parola del passato*, fasc. lxviii, 1959, pp. 365 et seq.

J. BINGEN. Contribution au texte du Dyscolos de Ménandre et Compte Rendu de V. Martin, Papyrus Bodmer IV: *Ménandre, Le Dyscolus, Chronique d'Égypte*, tome xxxiv, n° 67, janvier 1959, pp. 86 et seq.

—— 'Sur le texte du Dyscolos de Ménandre', ibid., tome xxxv, n° 68, juillet 1959, pp. 300 et seq.

W. E. BLAKE. Emendations and Restorations to Menander's *Dyskolos* (Privatim distributum). 1959.

C. DIANO. *Note in margine al Dyskolos di Menandro*. Antenore, Padova, 1959.

S. EITREM. *Textkritische Bemerkungen*, 2. Symbolae Osloenses, fasc. xxxv, 1959, pp. 131 et seq.

R FLACELIÈRE. Recensio editionis primae, *Revue des Études Grecques*, tome lxxii, 1959, pp. 370 et seq.

O. FOSS. *Classica et Medievalia*, vol. xx, 1959, pp. 30 et seq.

C. GALLAVOTTI. 'Per il testo di Menandro', *Rivista di cultura classica e medioevale*, anno I, no. 3, 1959, pp. 227 et seq.

—— *Menandro, Dyscolos, Testo critico e interpretazione*. Glaux, Napoli, 1959.

M. GIGANTE. 'Note critiche al Dyskolos', *La Parola del Passato*, fasc. lxvi, 1959, pp. 211 et seq.

—— Recensio editionis primae, ibid., pp. 312 et seq.

F. C. GÖRSCHEN. 'Zu Menanders Dyskolos', *Dioniso*, vol. xxxii, 1959, pp. 101 et seq.

G. P. GOOLD. 'First Thoughts on the Dyscolus', *Phoenix*, vol. xiii, no. 4, 1959, pp. 139 et seq.

H. HERTER. 'Zum *Dyskolos* Menanders', *Rheinisches Museum*, N.F. Band 102, 1959, Heft 1, p. 96.

J. M. JACQUES. 'La Resurrection du *Dyscolos* de Ménandre: ses conséquences', *Bulletin de l'Association Guillaume Budé*, 4ᵉ série, nᵒ 2, juin 1959, pp. 200 et seq.

J. C. KAMERBEEK. 'Premières reconnaissances à travers le *Dyscolos* de Ménandre', *Mnemosyne*, s. iv, vol. xii, 1959, pp. 113 et seq.

R. KASSEL. 'Vorschläge zum Text des *Dyskolos*', *Museum Helveticum*, vol. xvi, fasc. 3, Juli 1959, pp. 172 et seq.

——— 'Zum *Dyskolos*', *Rheinisches Museum*, N.F. Band 102, Heft 3, pp. 247 et seq.

W. KRAUS. 'Zum neuen Menander', *Rheinisches Museum*, N.F. Band 102, Heft 2, pp. 146 et seq.

H. LLOYD-JONES. 'Preliminary Notes on Menander's *Dyskolos*', *Classical Review*, N.S. ix, No. 2, 1959, pp. 183 et seq. Vid. praef., p. vi.

G. LUSCHNAT. 'Ad Menandri Dyscolum', *Philologus*, Band 103, Heft 1–2, 1959, pp. 154 et seq.

B. MARZULLO. *Menandro: Il Misantropo*. Einaudi, Torino. 1959.

——— 'Note al *ΔΥΣΚΟΛΟΣ* di Menandro', *Rivista di cultura classica e medioevale*, anno 1, no. 3, pp. 280 et seq.

H. J. METTE. Menandros, *Dyskolos* (Göttingen, Vandenhoek et Ruprecht, 1960).

A. OGUSE. 'Notes critiques et exégétiques sur le Dyscolos de Ménandre', *Bulletin de la Faculté de Lettres de Strasbourg*, 38, 1959, pp. 135 et seq.

W. PEEK. 'Zum Dyskolos Menanders', *Wissenschaftliche Zeitschrift der Martin-Luther-Universität*, Halle, Jahrgang viii, 1958–9, Heft 6, pp. 1201 et seq.

P. PHOTIADES. 'Pan's Prologue to the *Dyskolos*', *Greece and Rome*, Ser. ii, vol. v, No. 2, October 1958, pp. 108 et seq.

L. A. POST. Recensio editionis primae, *American Journal of Philology*, vol. lxxx, 4, 1959, pp. 402 et seq.

C. PRATO. *Annali dell'Università di Bari*, 1959, estr. 2.

J. H. QUINCEY, W. RITCHIE, G. P. SHIPP, A. P. TREWEEK. *Notes on the Dyskolos of Menander*. Occasional Papers printed by the Australian Humanities Research Council, no. 2, 1959. Si qua emendatio sine auctoris nomine apparet, apud me sub titulo 'Sydn.' notatur.

W. RICHTER. 'Menander, *Dyskolos* 885–6', *Philologus*, Band 103, Heft 3/4, 1959, pp. 317 et seq.

W. Schmid. 'Menanders Dyskolos und die Timonlegende', *Rheinisches Museum*, N.F. Band 102, Heft 2, pp. 157 et seq.

—— 'Menanders Dyskolos, Timonlegende und Peripatos', ibid., Heft 3, pp. 263 et seq.

R. Sherk. 'A Passage in Menander's Dyscolus', *American Journal of Philology*, vol. lxxx, 4, 1959, pp. 400–1.

A. Thierfelder. 'Adnotationes in Menandri Dyscolon', *Rheinisches Museum*, N.F. Band 102, Heft 2, pp. 141 et seq.

E. G. Turner, W. G. Arnott, R. Browning, A. M. Dale, E. W. Handley, O. Szemerényi, T. B. L. Webster, R. P. Winnington-Ingram, et al. 'Emendations to Menander's *Dyskolos*', *Bulletin of the Institute of Classical Studies, University of London*, No. 6, 1959, pp. 61 et seq. Si qua emendatio sine nomine auctoris apparet, apud me sub titulo 'Lond.' notatur.

B. A. van Groningen. 'Quelques notes sur le *Dyscolos* de Ménandre', *Mnemosyne*, s. iv, vol. xii, 1959, pp. 224 et seq.

E. Vogt. 'Ein stereotyper Dramenschluß der *Néa*. Zu Menanders Dyskolos und Poseidipps Apokleiomene', *Rheinisches Museum*, N.F. Band 102, Heft 2, p. 192.

G. Zuntz. 'Notes on the *Dyskolos*', *Mnemosyne*, s. iv, vol. xii⁴, 1959, pp. 298 et seq.

Ineditas adhuc coniecturas mihi suppeditaverunt E. A. Barber, E. R. Dodds, E. Fraenkel, J. G. Griffith, E. W. Handley, D. Mervyn Jones, R. Kassel, D. M. Lewis, P. Maas, R. Merkelbach, D. L. Page, R. Pfeiffer, L. A. Post, C. H. Roberts, D. S. Robertson, A. Salač, F. H. Sandbach.

Si quod supplementum sine nomine auctoris citatur, hoc editoribus primis (V. Martin et collegis eius) debetur.

CODICES

Π   Codex papyraceus Genavensis Bodmerianus, de quo vide praefationem, p. v.

H   Membrana Hermupolitana, saec. fere tertii p.C. Primi ediderunt B. P. Grenfell et A. S. Hunt, Mélanges Nicole, 1905, pp. 220 et seq.; asservatur in Bibliotheca Bodleiana (MSS. Gr. Class. g 49 (P)). Dyscolum continere cognovit et denuo excussit C. H. Roberts. Frustula habet versuum 140–9, 169–74.

O   Papyrus Oxyrhynchitis inedita, eiusdem aetatis. Dyscolum continere cognovit et benigne transcriptionem mecum communicavit E. G. Turner. Frustula habet versuum 263–72, 283–90.

DRAMATIS PERSONAE

Pan deus

Familia Cnemonis

Cnemo (Κν.) senex rusticus

Uxor Cnemonis (?Myrrhina: vid. v. 709) (persona muta)

Virgo (Θυγ.) eorum filia

Gorgia (Γο.) adulescens rusticus, privignus Cnemonis

Simica (Σιμ.) anus, Cnemonis serva et nutrix virginis

Davus (Δα.) Gorgiae servus

Familia Callippidis

Callippides (Καλλ.) senex dives

Uxor Callippidis (Γυ.): de qua vid. ad v. 430

Sostratus (Σω.) eorum filius

Virgo (?Plango: vid. v. 430) eorum filia (persona muta)

Geta (Γε.) Callippidis servus

Byrrhia (Πυ.) Sostrati servus

Chaerea (Χα.) Sostrati parasitus

Sico (Σικ.) coquus mercede conductus

Donax servus Callippidis (persona muta: vid. v. 959. An Donax idem est atque tibicen qui post v. 879 ludit?)

Parthenis tibicina (vid. v. 432)

Chorus turba iuvenum ebriorum

Ancillae uxoris Callippidis (vid. vv. 430 et seq.)

ΑΡΙΣΤΟΦΑΝ(ΟΥΣ) ΓΡΑΜΜΑΤΙΚ(ΟΥ)
Η ΥΠΟΘΕΣΙΣ

Ἔχων θυγατέρα δύσκολος μητρὸς μέν, ἣν
ἔγημεν ἔχουσαν υἱόν, ἀπελείφθη τάχος
διὰ τοὺς τρόπους, μόνος δ' ἐπ' ἀγρῶν διετέλει.
τῆς παρθένου δὲ Σώστρατος σφοδρῶς ἐρῶν
προσῆλθεν αἰτῶν· ἀντέπιφθ' ὁ δύσκολος· 5
τὸν ἀδελφὸν αὖτις ἔπειθεν. οὐκ εἶχ' ὅ τι λέγοι
ἐκεῖνος· ἐμπεσὼν δὲ Κνήμων εἰς φρέαρ
τὸν Σώστρατον βοηθὸν εἶχε διὰ τάχους.
κατηλλάγη μὲν τῇ γυναικί, τὴν κόρην
τούτῳ δ' ἐδίδου γυναῖκα κατὰ νόμους ἔχειν· 10
τούτου δ' ἀδελφὴν λαμβάνει τῷ Γοργίᾳ,
τῷ τῆς γυναικὸς παιδί, πρᾶος γενόμενος.

1 μέν, ἣν Pfeiffer: μονην Π   2 ετημεν Π   5 ἀντέπιφθ' Pfeiffer:
ἀντετιφθ' Π   6 αὖτις ed. pr.: αυτης Π ἔπειθεν: ἔπιθεν (servato αὐτῆς)
Turner. Discissis anapaestis abundant magistelli qui talia argumenta
metrica conscripserunt; cf. ex. gr. arg. metr. ad Aristophanis Vespas 1, 4
λεγοι Π in marg.: ποει Π in textu   10 την ante γυναικα Π ἔχειν
Ll.-J.: ερων (ex l. 4, opinor) Π   11 τούτου ed. pr.: τουτω Π
  7-8 Cnemonem extraxit non Sostratus, sed Gorgia (vid. v. 683). Eius-
modi erroribus scatent argumenta metrica fabularum, Aristophani illi
Byzantino nullo modo attribuenda; cf. arg. metr. ad Aristophanis
Pacem atque Aves, et vid. Wilamowitz, *Einleitung in die Griechische
Tragödie*, p. 145 et A. Nauck, *Arist. Byz. Fragmenta*, p. 252

Ἐδίδαξεν εἰς Λήναια ἐπὶ †Διδυμογενης ἄρχοντ(ος) καὶ ἐνίκα·
ὑπεκρίνατο Ἀριστόδημος Σκα⟨ρ⟩φεύς· ἀντεπιγράφετ(αι) Μισάν-
θρωπος.

1 Δημογένους (arch. 317/16 A.C.) ed. pr. probabiliter. Menandrum sub
Democlide (arch. 316/15) primo vicisse testatur Marmor Parium (FGH
239 B 14 Jacoby), primam victoriam ad Dionysia reportatam sine
dubio significans

3

ΤΑ ΤΟΥ ΔΡΑΜΑΤ(ΟΣ) ΠΡΟΣΩΠΑ

Πάν ⟦θεός⟧	ὁ θεός	Δᾶος	
Χαιρέας	ὁ παράσιτος	Γοργίας	ὁ ἐκ μ[η]τρὸς
			ἀδελφ[ός
Σώστρατος	ὁ ἐρασθείς	Σίκων	μάγειρος
Πυρρίας	ὁ δοῦλος	Γέτας	ὁ δοῦλος
Κνήμων	ὁ πατήρ	Σιμίκη	γραῦς 5
Παρθένος	θυγάτηρ	Καλλιππίδης	π[α]τὴρ τοῦ
	Κνήμων(ος)		Σωστράτ[ου

2 Nusquam in textu parasitus vocatur Chaerea; quod si dubitas utrum hic parasitus fuerit, confer cum eius verbis in vv. 57 et seq. pronuntiatis orationes parasitorum apud Antiphanem (fr. 195 Kock), Timoclem (fr. 8 ibid.), Aristophontem (fr. 4 ibid.)

3–4 Ante Sostrati nomen β, ante Byrrhiae nomen α scriptis ordinem personarum immutare voluisse videtur scriba (P. Hamburg. 133 v. 2 confert Turner); prior tamen loquitur Sostratus (vv. 52 et seq.)

5 Σιμίχη Marzullo, Schmid (cf. Mayser, *Grammatik der Griechischen Papyri* I, i, p. 171, Crönert, *Memoria Herculanensis*, p. 88). Σιμίκη vero ubique habet Π: adde quod anum barbaram aspiratam Atticam pronuntiare nequisse suspicatur Maas. Fortasse praestat forma Σιμ⟨μ⟩ίκη: cf. Lucian. Dial. Meretr. 4, Alciphron. fr. 6, 11 Hercher, et vid. F. Bechtel, *Attische Frauennamen*, p. 43

Etiam Callippidis uxorem (= Sostrati matrem) inter personas loquentes numerandam esse probabiliter coniecit Ritchie (vid. vv. 430 et seq.)

ΔΥΣΚΟΛΟΣ

(ΠΑΝ)

Τῆς Ἀττικῆς νομίζετ' εἶναι τὸν τόπον
Φυλήν, τὸ νυμφαῖον δ', ὅθεν προέρχομαι,
Φυλασίων καὶ τῶν δυναμένων τὰς πέτρας
ἐνθάδε γεωργεῖν, ἱερὸν ἐπιφανὲς πάνυ.
τὸν ἀγρὸν δὲ τὸν [ἐ]πὶ δεξί' οἰκεῖ τουτονὶ   5
Κνήμων, ἀπάνθρωπός τις ἄνθρωπος σφόδρα
καὶ δύσκολος πρὸς ἅπαντας, ⟨ο⟩ὐ χαίρων τ' ὄχλῳ.
ὄχλῳ λέγω; ζ[ῶ]ν οὗτος ἐπιεικῶς χρόνον
πολὺν λελά[λ]ηκεν ἡδέως ἐν τῷ βίῳ
οὐδεν⟨ί⟩, προσηγόρευκε πρότερος δ' οὐδένα   10
πλὴν ἐξ ἀνάγκης γειτνιῶν παριών τ' ἐμὲ
τὸν Πᾶνα· καὶ τοῦτ' εὐθὺς αὐτῷ μεταμέλει,
εὖ οἶδ'. ὅμως οὖν τῷ τρόπῳ τοιοῦτος ὢν
χήραν γυναῖκ' ἔγημε, τε⟨τε⟩λευτηκότος
αὐτῇ νεωστὶ τοῦ λαβόντος τὸ πρότερον   15
υἱοῦ τε καταλελ⟨ε⟩ιμμένου μικροῦ τότε.
ταύτῃ ζυγομαχῶν οὐ μόνον τὰς ἡμέρας,
ἐπιλαμβάνων δὲ καὶ πολὺ τῆς νυκτὸς μέρος
ἔζη κακῶς· θυγάτριον αὐτῷ γίνεται·
ἔτι μᾶλλον. ὡς δ' ἦν τὸ κακὸν οἷον οὐθὲν ἄν   20

Scaenam mediam occupat Panis et Nympharum sacellum; ad sinistram
Cnemonis (ut vidit Quincey, v. 5 cum v. 909 collato), ad dextram Gorgiae
domum (cf. ad v. 206) videmus. E sacello prodiens Pan prologum lo-
quitur

1-3 Τῆς . . . Φυλασίων cit. Harpocratio 183, 11: Τῆς . . . Φυλήν cit. Σ
Ar. Ach. 1023 (= fr. 115 Koerte)

3 possis τῶν καὶ vel τῶν δ. καὶ: sed vid. Denniston, The Greek Particles²,
p. 291   10 οὐδεν⟨ί⟩ Diano, Ll.-J.: ουδεν Π   12 τοῦτ' plerique:
τουςτ' Π: τοῦδ' ed. pr.   15 λαμβανοντος Π   16 τότε plerique:
ποτε Π   18 καὶ πολὺ plerique: και το πολυ Π: τὸ πολὺ ed. pr.

ἕτερον γένοιθ', ὁ βίος τ' ἐπίπονος καὶ πικρός,
ἀπῆλθε πρὸς τὸν υἱὸν ἡ γυνὴ πάλιν
τὸν πρότερον αὐτῇ γενόμενον. χωρίδιον
τούτῳ δ' ὑπάρχον ἦν τι μικρὸν ἐνθαδὶ
ἐν γειτόνων, οὗ διατρέφει νυνὶ κακῶς   25
τὴν μητέρ' αὐτοῦ πιστὸν οἰκέτην θ' ἕνα
πατρῷον. ἤδη δ' ἐστὶ μειρακύλλιον
ὁ παῖς ὑπὲρ τὴν ἡλικίαν τὸν νοῦν ἔχων·
προάγει γὰρ ἡ τῶν πραγμάτων ἐμπειρία.
ὁ γέρων δ' ἔχων τὴν θυγατέρ' αὐτὸς ζῇ μόνος   30
καὶ γραῦν θεράπαιναν, ξυλοφορῶν σκάπτων τ', ἀεὶ
πονῶν, ἀπὸ τούτων ἀρξάμενος τῶν γειτόνων
καὶ τῆς γυναικὸς μέχρι Χολαργέων κάτω
μισῶν ἐφεξῆς πάντας. ἡ δὲ παρθένος
γέγον' ἀνομοία τῇ τροφῇ τις, οὐδὲ ἓν   35
εἰδυῖα φλαῦρον. τὰς δὲ συντρόφους ἐμοὶ
Νύμφας κολακεύουσ' ἐπιμελῶς τιμῶσά τε
πέπεικεν αὐτῆς ἐπιμέλειαν σχεῖν τινα
ἡμᾶς. νεανίσκον τε καὶ μάλ' εὐπόρου
πατ[ρ]ός, γεωργοῦντος ταλάντων κτήματα   40
ἐντα]ῦθα πολλῶν, ἀστικὸν τῇ διατριβῇ,
ἥκο]ντ' ἐπὶ θήραν μετὰ κυνηγέτου τινὸς
. . . .]υ κατὰ τύχην παραβαλόντ' εἰς τὸν τόπον
. . . .]. ἔχειν πως ἐνθεαστικῶς ποῶ.
ταῦτ'] ἐστὶ τὰ κεφάλαια· τὰ καθ' ἕκαστα δὲ   45
ὄψεσθ',] ἐὰν βούλησθε· βουλήθητε δέ.
καὶ γὰ]ρ προσιόνθ' ὁρᾶν δοκῶ μοι τουτονὶ

26 αὐτοῦ Ll.-J.: αυτον Π (αὐτοῦ Photiades, contra normam)   ἕνα
plerique: εναμα Π: ἅμα ed. pr.   31 σκαπτοντ' αιε[Π   35 γέγον'
ἀνομοία Lewis: γεγονεν ομοια Π, fort. recte (cf. v. 384)   36 φλαρουν Π
38 ἔχειν (c sùpra prius ε scripto) Π   39 possis εὔπορον   43 καί πο]υ
Diano: φίλο]υ ed. pr.   παραβαλόντ' ed. pr.: παραλαβοντ' Π   44 ἰδόντ']
Sandbach: sed vestigiis vix convenit   46 ὄψεσθ'] ed. pr.:]ε Π   βου-
λεσθε βουληθητε δε Π: βούλησθ'· ἐβουλήθητε δέ Sandbach

τὸν ἐρῶντα τόν τε συν.[.........]ν ἅμα
αὐτοῖς ὑπὲρ τούτων τι σ[υγκοινουμ]ένους.

ACTVS I
ΧΑΙΡΕΑΣ

τί φῄς; ἰδὼν ἐνθένδε πα⌊ῖδ' ἐλευ⌋θέραν   50
τὰς πλησίον Νύμφας στεφ[ανο]ῦσαν, Σώστρατε,
ἐρῶν ἀπῆλθες εὐθύς;

ΣΩΣΤΡΑΤΟΣ
                                          εὐθ[ύς].
(Χα.)   ὡς ταχύ.
ἦ τοῦτ' ἐ⟨βε⟩βούλευσ' ἐξιών, ἐρᾷ[ν] τινος;
(Σω.)   σκώπτεις· ἐγὼ δέ, Χαιρέα, κακῶς ἔχω.
(Χα.)   ἀλλ' οὐκ ἀπιστῶ.   55
(Σω.)   διόπερ ἥκω παραλαβὼν
σὲ πρὸς τὸ πρᾶγμα, καὶ φίλον καὶ πρακτικὸν
κρίνας μάλιστα.
(Χα.)   πρὸς τὰ τοιαῦτα, Σώστρατε,
οὕτως ἔχω· παραλαμβάνει τις τῶν φίλων
ἐρῶν ἑταίρας· εὐθὺς ἁρπάσας φέρω·
μεθύω, κατακάω, λόγον ὅλως οὐκ ἀνέχομαι.   60
πρὶν ἐξετάσαι γὰρ ἥτις ἐστί, δεῖ τυχεῖν·
τὸ μὲν βραδύνειν γὰρ τὸν ἔρωτ' αὔξει πολύ,
ἐν τῷ ταχέως δ' ἔνεστι παύσασθαι ταχύ.
γάμον λέγει τις καὶ κόρην ἐλευθέραν·
ἕτερός τίς εἰμ' ἐνταῦθα· πυνθάνομαι γένος,   65

49 Exit in sacellum Pan; prodeunt in scaenam Sostratus et Chaerea

---

50, 52 (om. 51) τί φῄς . . . ταχύ cit. Ammonius p. 62 Valckenaer
(= fr. 120 Koerte)

---

48 ϲυνα[vel ϲυνκ[vel ϲυνγ[Π   49 τιϲϲ[Π   50 ἐνθένδε Valcke-
naer, Maas: ἔνθεν γε Ammonius: ενταυθα Π   πᾶς δ' ἐλευθέρων Ammo-
nius   52 ἐρῶν om. Ammonius   εὐθ[ύς. (Χα.)] ὡς ταχύ suppl. plerique
53 ἐ⟨βε⟩βούλευσ' suppl. plerique   56 απρακτικον Π   58 τις supra
lineam Π: [[ϲτι]] habet in textu   62 αυξανει Π

7

ΜΕΝΑΝΔΡΟΥ

βίον, τρόπους· εἰς πάντα τὸν λοιπὸν χρόνον
μνείαν γὰρ ἤδη τῷ φίλῳ καταλείπομαι,
ὡς ἂν διοικήσω περὶ ταῦτα.

(Σω.)   καὶ μάλ' εὖ,
οὐ πάνυ δ' ἀρεσκόντως ἐμοί.

(Χα.)   καὶ νῦν γε δεῖ
ταῦτα διακοῦσαι πρῶτον ἡμᾶς.   70

(Σω.)   ὄρθριον
τὸν Πυρρίαν τὸν συγκυνηγὸν οἴκοθεν
ἐγὼ πέπομφα.

(Χα.)   πρὸς τίν';

(Σω.)   αὐτῷ τῷ πατρὶ
ἐντευξόμενον τῆς παιδός, ἢ τῷ κυρίῳ
τῆς οἰκίας, ὅστις ποτ' ἐστίν.

(Χα.)   Ἡράκλεις·
οἷον λέγεις.   75

(Σω.)   ἥμαρτον; οὐ γὰρ οἰκέτῃ
ἥρμοστ' ἴσως τὸ τοιοῦτ⟨ό γ'⟩. ἀλλ' οὐ ῥᾴδιον
ἐρῶντα συνιδεῖν ἐστι τί ποτε συμφέρει.
καὶ τὴν διατριβὴν ἥτις ἔστ' αὐτοῦ πάλαι
τεθαύμακ'. εἰρήκειν γὰρ εὐθὺς οἴκαδε
αὐτῷ παρεῖναι πυθομένῳ τἀνταῦθά μοι.   80

ΠΥΡΡΙΑΣ
πάρες, φυλάττου, πᾶς ἄπελθ' ἐκ τοῦ μέσου.
μαίνεθ' ὁ διώκων, μαίνεται.

(Σω.)   τί τοῦτο, παῖ;

(Πυ.)   φεύγετε.

(Σω.)   τί ἐστί;

69 οὐ πάνυ ... ἐμοί: secum loquitur Sostratus   81 Scaenam intrat
Byrrhia anhelans et valde perturbatus

67 καιμνείαν Π: και del. ed. pr.   68 fort. comma post διοικήσω
ponendum est   76 τὸ τοιοῦτ⟨ό γ'⟩ Page: τοτοιουτ' Π: τὸ τοιοῦτ⟨ον⟩
ed. pr.   79 ⟦δε⟧ Π

ΔΥΣΚΟΛΟΣ

(Πυ.)   βάλλομαι βώλοις, λίθοις·
ἀπόλωλα.

(Σω.)   βάλλει; ποῖ, κακόδαιμον;
(Πυ.)   οὐκέτι
ἴσως διώκει.   85

(Σω.)   μὰ Δί'.
(Πυ.)   ἐγὼ δ' ᾤμην.
(Σω.)   τί δὲ
λέγεις;

(Πυ.)   ἀπαλλαγῶμεν, ἱκετεύω σε—
(Σω.)   ποῖ;
(Πυ.)   ἀπὸ τῆς θύρας ἐντεῦθεν ὡς πορρωτάτω.
Ὀδύνης γὰρ ὑὸς ἢ κακοδαιμ⟨ον⟩ῶν τις ἢ
μελαγχολῶν ἄνθρωπος. οἰκῶν [......]ει
τὴν οἰκίαν πρὸς ὅν μ' ἔπεμπ[ες ⏕ ⏑ –   90
μεγάλου κακοῦ. τοὺς δακτύλους [⏕ ⏑ ⏑ –
σχεδόν τι προσπταίων ἅπα[ντας. ⏕ ⏑ –
ἐλθών τι πεπαρῴνηκε δευ[⏑ ⏕ ⏑ –.
εὔδηλός ἐστι.

(Πυ.)   νὴ Δί', ἐξωλ[– ⏑ –
Σώ]στρατ', ἀπολο[........] δέ πως φυλακτικῶς. 95
ἀλλ' οὐ δύναμαι λ[......]ς ἕστηκεν δέ μοι
τὸ πνεῦμα. κόψας [τὴν θύ]ραν τῆς οἰκίας

---

85 duplex punctum post μὰ Δί' Π²   δε Π²: δ'αι (ex δη factum?) Π¹
88 Ὀδύνης ... ὑὸς perobscurum   89 [τυγχάν]ει Barrett (ε aut ει Π):
quo accepto in v. 90 ἦν Maas   90 ἔπεμπ[ες Page ad fin. fort. ὦ θεοί·
Page   91 [κατέαξα γὰρ Barigazzi, Barrett (ἔαξα γὰρ contra usum ed. pr.)
92, 93, 94: sub his vv. paragraphos habet Π   92 ἅπα[ντας ed. pr.:
ἅπα[(sic) Π   ad fin. fort. (Σω.) ἆρ' ὁ παῖς vel οὑτοσί, nota interro-
gationis post πεπαρῴνηκε (v. 93) posita (Ll.-J.)   93 fort. δεῦ[ρο γοῦν
φυγὼν (Page) vel δεῦ[ρ' ἔφυγέν τινα· (Ll.-J.)   94 fort. ἐξώλ[εις
ταχὺ (Barrett, Ll.-J.)   95 fort. ἀπολο[ύμεθ' (ed. pr.): απολο[vel
             υ πως
ἀπολε[Π   fort. ἴθι] δέ πως φυλακτικῶς :]δε⟦ιοθι⟧ φυλακτικῶς Π (an σ]ὺ
tanquam varia lectio supra δὲ scriptum erat?)   96 fort. λ[έγειν. ἄφε]ς.
(λ[έγειν ed. pr.)

τὸν κύριον ζητεῖν [ἔφ]ην. προσῆλθέ μοι
γραῦς τις κακοδαίμων· ἀ[ὐτ]όθεν δ' οὗ νῦν λέγων
ἔστηκ', ἔδειξεν αὐ[τὸ]ν ἐπὶ τοῦ λοφιδίου   100
ἐκεῖ περιφθ⟨ε⟩ιρόμενον ἀχράδας, ἢ πολὺν
κύφων' ἑαυτῷ συλλέγονθ'.

(Σω.)   ὡς ὀργίλως.
(Χα.)   τί ⟨δ'⟩, ὦ μακάρι';
(Πυ.)   ἐγὼ μὲν εἰς τὸ χωρίον
ἐμβὰς ἐπορευόμην πρὸς αὐτόν. καὶ πάνυ
πόρρωθεν, εἶναί τις φιλάνθρωπος σφόδρα   105
ἐπιδέξιός τε βουλόμενος, προσεῖπα· καὶ
"ἥκω τι", φημί, "πρός σε, πάτερ, †ιδειντισε†
σπεύδων ὑπὲρ σοῦ πρᾶγμ'." ⟨ὁ δ'⟩ εὐθύς, "ἀνόσιε
ἄνθρωπε," φησίν, "εἰς τὸ χωρίον δέ μου
ἥκεις ⟨σὺ⟩ τί μαθών;" βῶλον αἴρεταί τινα·   110
ταύτην ἀφίησ' εἰς τὸ πρόσωπον αὐτό μου.
Χα.   ἐς· κόρακας.
(Πυ.)   ἐν ὅσῳ δ' "ἀλλά σ' ὁ Ποσ⟨ε⟩ιδῶν" λέγων
κατέμυσα, χάρακα λαμβάνει πάλιν τινά,
ἐκάθαιρε †ταύτην†, "σοὶ δὲ κἀμοὶ πρᾶγμα τί
ἔστιν;", λέγων, "τὴν δημοσίαν οὐκ οἶσθ' ὁδόν;",   115
ὀξύτατον ἀναβοῶν τι.
Χα.   μαινόμενον λέγεις
τελέως γεωργόν.
(Πυ.)   τὸ δὲ πέρας—φεύγοντα γὰρ
δεδίωχ' ἴσως με στάδια πέντε καὶ δέκα,

---

98 [ἔφ]ην plerique   101–2 obscuri   101 ἢ: ἡ Π: fort. περιφθ., ἀχρά-
δας ἢ scribendum   103 ⟨δ'⟩ inseruit Ll.-J.: [Χα]ιρ in margine Π
105 φ. τις Π   107 πάτερ, †ιδειντισε†: fort. χρηματίσαι, πάτερ: πατρίδιον
Barber (quo accepto κτίσαι Maas)   108 ὑπὲρ σοῦ: ὑπέρ του Barber
⟨ὁ δ'⟩ plerique   110 ⟨σὺ⟩ Kassel, Page: ⟨καὶ⟩ ante βῶλον inserere
mallet Fraenkel   112 ἐς: ης Π   113 in margine μαστιγγ[α (glossema
ad χάρακα?) habet Π   114 ταύτην: fort. ἐκάθαιρέ τ' αὐτῇ (Ll.-J.): ταύτῃ
μ' ἐκάθαιρε Handley   118 δεδίωχ' Thierfelder: δεδιωκ' Π: ἐδίωκ' Shipp

ΔΥΣΚΟΛΟΣ

περὶ τὸν λόφον πρώτιστον, εἶθ᾽ οὕτω κάτω
εἰς τὸ δασὺ τοῦτο σφενδονῶν βώλοις, λίθοις,   120
ταῖς ἀχράσιν ὡς οὐκ εἶχεν οὐδὲν ἄλλ᾽ ἔτι.

(Χα.)   ἀνήμερόν τι πρᾶγμα τελέως ἀνόσιος
        γέρων.

(Πυ.)   ἱκετεύω σ᾽, ἄπιτε.

(Σω.)   δειλίαν λέγεις.

(Πυ.)   οὐκ ἴστε τὸ κακὸν οἷόν ἐστι· κατέδεται
        ἡμᾶς.   125

Χα.   τυχὸν ἴσως ὠδυνημένος τι νῦν
        τετύχηκε· διόπερ ἀναβαλέσθαι μοι δοκεῖ
        αὐτῷ προσελθεῖν, Σώστρατ᾽. εὖ τοῦτ᾽ ἴσθ᾽, ὅτι
        πρὸς πάντα πράγματ᾽ ἐστὶ πρακτικώτερον
        εὐκαιρία.

Πυ.   νοῦν ἔχεθ᾽.

(Χα.)   ὑπέρπικρον δέ τι
        ἔστι⟨ν⟩ πένης γεωργός, οὐχ οὗτος μόνος,   130
        σχεδὸν δ᾽ ἅπαντες. ἀλλ᾽ ἕωθεν αὔριον
        ἐγὼ πρόσειμ᾽ αὐτῷ μόνος, τὴν οἰκίαν
        ἐπείπερ οἶδα· νῦν δ᾽ ἀπελθὼν οἴκαδε
        καὶ σὺ διάτριβε. τοῦτο δ᾽ ἕξει κατὰ τρόπον.

(Πυ.)   πράττωμεν οὕτως.   135

Σω.   πρόφασιν οὗτος ἄσμενος
        εἴληφεν. εὐθὺς φανερὸς ἦν οὐχ ἡδέως
        μετ᾽ ἐμοῦ βαδίζων, οὐδὲ δοκιμάζων πάνυ
        . . . . . ˙. . .]ην τὴν τοῦ γάμου. κακὸν δέ σε
        κακῶς ἅπ]αντες ἀπολέσειαν οἱ θεοί,

134 Exit Chaerea

122–3 ἀνήμερόν . . . γέρων Chaereae dedit Bingen: Byrrhiae continuat
Π: Sostrato dedit ed. pr.   125 ὠδυνημένος ed. pr.: ουδυνωμένος
Π   128 πρακτικώτερον Π²: -τατον Π¹   135 πράττωμεν ed. pr.:
πράττομεν Π: πραττόμενον Winnington-Ingram (qui Chaereae continuat)
136 post εὐθὺς, non post εἴληφεν, interpungit Π   138 fort. βουλὴν ἐμ]ὴν
(βουλὴν Page: ἐμ]ὴν ed. pr.)

11

μαστιγία.   140

(Πυ.)   τί] σ' ἠδίκηκα, Σώστρατε;

(Σω.)   ....] εἰς τὸ χωρίον τι δηλαδὴ

    ...].[.]λ[.]' ἔκλ⌋επτον.

(Σω.)   ἀλλ' ἐμαστίγου σέ τις

οὐδὲν ἀδικ⌋οῦντα;

Πυ.   καὶ πάρεστί γ' οὑτοσὶ

αὐτός. ὑπάγω,⌋₁ βέλτιστε, σὺ δὲ τούτῳ λάλει.

Σω.   οὐκ ᾄ[ν] δυν⌋αίμην· ἀπίθανός τίς εἰμ' ἀεὶ   145

ἐν τῷ λαλεῖν. ποῖον λέγει[ν δεῖ τουτο]νί;

οὐ πάνυ φιλάνθρωπον βλ[έπειν μ]οι φαίνεται,

μὰ τὸν Δί'. ὡς δ' ἐσπούδακ'. ἐπ[ανά]ξω βραχὺ

ἀπὸ τῆς θύρας· βέλτιον. ἀλλ' Ἄρ[η β]οᾷ

μόνος βαδίζων· οὐχ ὑγιαίνειν μοι δοκεῖ.   150

δέδοικα μέντοι, νὴ τὸν Ἀπόλλω καὶ θεούς,

·αὐτόν· τί γὰρ ἄν τις οὐχὶ τἀληθῆ λέγοι;

ΚΝΗΜΩΝ

εἶτ' οὐ μακάριος ἦν ὁ Περσεὺς κατὰ δύο

τρόπους ἐκεῖνος; ὅτι πετηνὸς ἐγένετο

κοὐδενὶ συνήντα τῶν βαδιζόντων χαμαί,   155

143 Scaenam intrat Cnemo, qui primo Sostratum et Byrrhiam non
conspicit   144 An scaenam linquit Byrrhia? ad v. 214 tamen iterum
cum domino est. Fortasse recedit tantum, ita ut a Cnemone quam longis-
sime absit, in scaena tamen maneat

140–9 Frustula horum versuum servantur in H (vid. p. xii)

140 μαστιγία plerique   ς H:]ε Π   141 fort. ἔκλεπτες]   142]επον
Π: fort. ἐλθών. (Πυ.) ἔκλεπτον; vel aliquid simile   143 Πυ]ρρί(ας) in
margine (ad 143–4 καὶ πάρεστί γ' κτλ. spectans) H   post οὑτοσὶ duplex
punctum habet Π   144 fort. ὕπαγ', ὦ β.   post βέλτιστε duplex punctum
habet Π, ante βέλτιστε H   145 οὐκ ᾄ[ν δυν]αίμην plerique (cum adhuc
latebat H)   147 et seq. Sostrato dedit Ll.-J.: duplex punctum post]νι
(146) habet Π   βλ[έπειν plerique   148 ἐπ[ανά]ξω Turner   149 Ἄρ[η
β]οᾷ Ll.-J.: α.[..]οαι (αρ[aut αι[) Π   151 νὴ Barrett, Shipp: μα Π
(cf. 639, 718)   τους θ. Π   152 οὐχὶ Fraenkel: μη ουχι Π: (an μη
ex νη (v. 151) perperam hic inserto ortum est?)

εἶθ' ὅτι τοιοῦτο κτῆμ' ἐκέκτηθ' ᾧ λίθους
ἅπαντας ἐπόει τοὺς ἐνοχλοῦντας; ὅπερ ἐμοὶ
νυνὶ γένοιτ'. οὐδὲν γὰρ ἀφθονώτερον
λιθίνων γένοιτ' ⟨ἂν⟩ ἀνδριάντων πανταχοῦ.
νῦν δ' οὐ βιωτόν ἐστι, μὰ τὸν Ἀσκληπιόν.   160
λαλοῦσ' ἐπεμβαίνοντες εἰς τὸ χωρίον
ἤδη. παρ' αὐτὴν τὴν ὁδὸν γάρ, νὴ Δία,
εἴωθα διατρίβειν; ὃς οὐδ' ἐργάζομαι
τουτὶ τὸ μέρος ⟨τοῦ⟩ χωρίου, πέφευγα δὲ
διὰ τοὺς παριόντας. ἀλλ' ἐπὶ τοὺς λόφους ἄνω   165
ἤδη διώκουσ'. ὦ πολυπληθείας ὄχλου.
οἴμοι· πάλιν τις οὑτοσὶ πρὸς ταῖς θύραις
ἕστηκεν ἡμῶν.

Σω.   ἆρα τυπτήσει γέ με;
Κν.   ἐρημίας οὐκ ἔστιν οὐδαμοῦ τυχεῖν,
οὐδ' ἂν ἀπάγξασθαί τις ἐπιθυμῶν τύχῃ.   170
Σω.   ἐμοὶ χαλεπαίνει; περιμένω, πάτερ, τινὰ
ἐνταῦθα· συνεθέμην γάρ.

(Κν.)   οὐκ ἐγὼ 'λεγον;
τουτὶ στοὰν νενομίκατ', ἤ τι τοῦ λεώ;
πρὸς τὰς ἐμὰς θύρας, ἐὰν ἰδεῖν τινα
βούλησθε, συντάττεσθ' ἀπαντᾶν; παντελῶς   175

167 Sostratum conspicit Cnemo   168 Secum loquitur Sostratus

---

159 ἀνδριάντων: cf. Bekker, *Anecdota* 82, 11 ἀνδριάς· . . . Μένανδρος
Δυσκόλῳ (= fr. 126 Koerte)   169–74 Frustula horum versuum
continet H (vid. p. xii)

156 ᾧ λίθους ed. pr.: ωι λιθινουϲ Π: possis ὃ λιθίνους, sed verba Aeliani
ep. rust. 14 τοῦ κτήματος ἐκείνου . . . ᾧ τοὺς συναντῶντας ἐποίει λίθους con-
ferunt Lond.   164 τουτὶ τὸ μέρος ⟨τοῦ⟩ χωρίου Lond.: τοιουτο το
μερος χωριου Π   166 [[δ]]ηδη Π   167 τις Ll.-J.: τιϲ in rasura (ex
τοϲ potius quam τοι factum) Π: τίς (interrogationis nota post 168 ἡμῶν
posita) ed. pr.   168 τυπτήσει ed. pr.: τυπτηϲειϲ Π   γέ με: γεμε Π:
γ' ἐμέ(?) Lond.   173 τουτοτι Π   ἤ τι τοῦ λεώ Ll.-J.: η του λεω (το
supra του scripto) Π: ἢ λεωφόρον Fraenkel, Post   175 συντάττεσθ'
ἀπαντᾶν; Ll.-J.: ϲυντατ τεϲθε παντα Π

13

καὶ θῶκον οἰκοδομήσετ᾽, ἂν ἔχητε νοῦν,
μᾶλλον δὲ καὶ συνέδριον. ὦ τάλας ἐγώ·
ἐπηρεασμὸς τὸ κακὸν εἶναί μοι δοκεῖ.

Σω.   οὐ τοῦ τυχόντος, ὡς ἐμοὶ δοκεῖ, πόνου
τουτὶ τὸ πρᾶγμά ⟨γ᾽⟩, ἀλλὰ συντονωτέρου·   180
πρόδηλόν ἐστιν. ἆρ᾽ ἐγὼ πορεύσομαι
ἐπὶ τὸν Γέταν τὸν τοῦ πατρός; νὴ τοὺς θεούς,
ἔγωγ᾽. ἔχει ⟨τι⟩ διάπυρον καὶ πραγμάτων
ἔμπειρός ἐστι παντοδαπῶν· τὸ δύσκολον
τούτου δ᾽ ἐκεῖνος ⟨τάχος⟩ ἀπώσετ᾽, οἶδ᾽ ἐγώ.   185
τὸ μὲν χρόνον γὰρ ἐμποεῖν τῷ πράγματι
ἀποδοκιμάζω· πόλλ᾽ ἐν ἡμέρᾳ μιᾷ
γένοιτ᾽ ἄν. ἀλλὰ τὴν θύραν πέπληχέ τις.

ΘΥΓΑΤΗΡ

οἴμοι τάλαινα τῶν ἐμῶν ἐγὼ κακῶν.
τί νῦν ποήσω; τὸν κάδον γὰρ ἡ τροφὸς   190
ἱμῶσ᾽ ἀφῆκεν εἰς τὸ φρέαρ.

Σω.   ὦ Ζεῦ πάτερ
καὶ Φοῖβε Παιάν, ὦ Διοσκούρω φίλ[ω,
κάλ⟨λ⟩ους ἀμάχου.

(Θυγ.)   θερμὸν ⟨δ᾽⟩ ὕδωρ πρ[οσέταξέ μοι
ποιεῖν ὁ πάπας ἐξιών.

---

178 Redit in aedes suas Cnemo   189 Ex aedibus Cnemonis prodit
filia eius urceolum portans   191–3, 194, 196, 201–2 Secum loquitur
Sostratus

176 οἰκοδομήσετ᾽ Ll.-J.: οικοδομησατε Π   177–8 ὦ τάλας . . . δοκεῖ
Cnemoni continuat Barrett: duplex punctum post συνέδριον et post δοκεῖ
habet Π, sed neque paragraphum habet sub v. 177 et v. 179 et seq. nomi-
natim adscribit Sostrato   180 ⟨γ᾽⟩ plerique: ⟨ἔστ᾽⟩ ed. pr.: ⟨ἦν⟩
Maas   183 ⟨τι⟩ plerique   185 τούτου ed. pr.: τοτουτου Π ⟨τάχος⟩
Ll.-J.: ⟨ὡς⟩ ἀπώσετ᾽ ed. pr.: απωσαιτ᾽ Π: ⟨τάχ᾽ ἂν⟩ ἀπώσαιτ᾽ Mette, Page
186 εμποιειν Π   187 πόλλ᾽ ἐν ed. pr.: πολλα δ᾽ αν Π   193 ⟨δ᾽⟩
plerique πρ[οσέταξε ed. pr. μοι Sandbach θερμὸν ⟨δὲ⟩ πρ[οσέταξ᾽
εὐτρεπὲς (ὕδωρ ut glossemate deleto) Barrett

(Σω.)   ἄνδρε[ς, τί δρῶ;

(Θυγ.)   ἐὰν δὲ τοῦτ’ αἴσθητ’, ἀπολεῖ κακ[ῶς πάνυ   195
        παίων ἐκείνην.

(Σω.)   οὐ σχολὴ μὰ τ[οὺς θεούς.

(Θυγ.)   ὦ φίλταται Νύμφαι, παρ’ ὑμῶν λη[πτέον.
        αἰσχύνομαι μέν, εἴ τινες θύο⟨υ⟩σ’ ἄ[ρα,
        ἔνδον ἐνοχλεῖν—

(Σω.)   ἀλλ’ ἂν ἐμοὶ δ[οῦναι θέλῃς,
        βάψας ἐγώ σοι·τ[ὴν χύτραν ἥξ]ω φέρων.   200

(Θυγ.)   ναὶ πρὸς θεῶν α[. . . . . .].

(Σω.)   ἐλευθερίως γέ πως
        ἄγροικός ἐστιν.

(Θυγ.)   ὦ [πολυτί]μητοι θεοί·
        τίς ἄν με σώσαι δ[αιμό]νων; τάλαιν’ ἐγώ.
        τίς ἐψόφηκεν; ἆρ’ ὁ [πά]πας ἔρχεται;
        ἔπειτα πληγὰς λ[ήψ]ομ’, ἄν με καταλάβῃ   205
        ἔξω.

---

199 Nunc primum Sostratum conspicit virgo   202 Exit in sacellum
cum urceolo Sostratus   203 Crepitu portae audito expavescit virgo;
crepuit vero non Cnemonis porta, sed Gorgiae

---

194 τί δρῶ; Barrett: τί φῶ; Page   195 τοῦτ’ ed. pr.: τουτουτο Π
κακ[ῶς πάνυ plerique: κάκ[ιστα δὴ alii   196 verba οὐ σχολὴ κτλ.
Sostrato dederunt Barigazzi, Kassel: nullam paragraphum sub hoc versu,
sed duplex punctum post ἐκείνην habet Π   τ[οὺς θεούς Kassel: τ[ὸν
Δία Barigazzi: τ[ὦ θεώ ed. pr. (qui haec verba virgini continuant)
197 λη[πτέον Barrett   198 θύο⟨υ⟩ς ed. pr.   ἄ[ρα Eitrem, Turner   εἴ
τίς ἐστι θύος ἄ[γων Page   199 δ[οῦναι θέλῃς plerique   201 quis
loquatur incertum: sub vv. 200–1 paragraphos habet Π   ναὶ πρὸς
θεῶν Sostrato dant Barrett, Post: (Θυγ.) ναί, πρὸς θεῶν ἀ[πόδος δ’]. (Σω.)
ἐλευθερίως κτλ. Page (cf. 387)   202 post ἐστιν utrum duplex an
simplex punctum habeat Π incertum est: sub hoc versu nullam habet
paragraphum   203 δ[αιμό]νων Barrett, Sandbach: duplex punctum
post]νων perperam habet Π (cf. 177, 213)   204 [πά]πας ed. pr.:] ςας
aut]ϝας Π

ΔΑΟΣ

διατρίβω σοι διακονῶν πάλαι
ἐνταῦθ᾽· ὁ δὲ σκάπτει μόνος. πορευτέον
πρὸς ἐκεῖνόν ἐστιν. ὦ κάκιστ᾽ ἀπολουμένη
Πενία, τί σ᾽ ἡ[μ]εῖς τηλικοῦτ᾽ ἐφεύρομεν;
τί τοσοῦτον ἡμῖν ἐνδελεχῶς οὕτω χρόνον   210
ἔνδον κάθησαι καὶ συνοικεῖς;

(Σω.)   λάμβανε
τηνδί.

(Θυγ.)   φέρε δεῦρο.

Δα.   τί ποτε βούλεθ᾽ οὑτοσὶ
ἄνθρωπος;

(Σω.)   ἔρρωσ᾽, ἐπιμελοῦ τε τοῦ πατρός.
οἴμοι κακοδαίμων.

Πυ.   παῦε θρηνῶν, Σώστρατε.
ἔσται κατὰ τρόπον.   215

(Σω.)   κατὰ τρόπον τί;

(Πυ.)   μὴ φοβοῦ.
ἀλλ᾽ ὅπερ ἔμελλες ἄρτι τὸν Γέταν λαβὼν
ἐπάνηκ᾽, ἐκείνῳ πᾶν τὸ πρᾶγμ᾽ εἰπὼν σαφῶς.

Δα.   τουτὶ τὸ κακὸν τί ποτ᾽ ἐστίν; ὡς οὔ μοι πάνυ
τὸ πρᾶγμ᾽ ἀρέσκει. μειράκιον διακονεῖ
κόρῃ· πονηρόν. ἀλλά σ᾽, ὦ Κνήμων, κακὸν   220

206 Prodit ex aedibus Gorgiae Davus, qui Gorgiae matrem intus remo-
rantem etiamnunc adloquitur (cf. Peric. 61, etc.). Ante limen consistens
virginem et adulescentem observat, ipse non conspicitur   211 Redit e
sacello Sostratus urceolum plenum reportans. Prae timiditate non audet
usque ad virginem ipsam urceolum ferre; ita fit ut ab ipsa apportare iubea-
tur (212)   212 Iterum secum loquitur Davus   213 Aedes intrat
virgo   217 Exit Sostratus cum Byrrhia

207 σκεπτει Π   209 τηλικοῦτο φέρβομεν Maas   211 καθοσαι Π
212 (Θυγ.) φέρε δεῦρο Kassel, Lond.: [Σω.] φέρε, δεῦρο Barrett (sed
duplex punctum post τηνδί habet Π)   τί ποτε βούλεθ᾽ Szemerényi: τι ποτ᾽
εβουλετο Π   213 post πατρός duplex punctum habet Π, perperam:
cf. 177, 203   218 τουτὶ ed. pr.: τουτοτι Π

ΔΥΣΚΟΛΟΣ

κακῶς ἄπαντες ἀπολέσειαν οἱ θεοί.
ἄκακον κόρην μόνην ἀφεὶς ἐν ἐρημίᾳ
ἐᾷς, φυλακὴν οὐδεμίαν, ὡς προ⟨σῆ⟩κον ἦν,
ποιούμενος. τουτὶ καταμα⟨ν⟩θάνων ἴσως
οὗτος προσερρύη, νομίζων ὡσπερεὶ   225
ἔρμαιον. οὐ μὴν ἀλλὰ ⟨τ⟩ἀδελφῷ γε δεῖ
αὐτῆς φράσαι με τὴν ταχίστην ταῦθ᾽, ἵνα
ἐν ἐπιμελ⟨ε⟩ίᾳ τῆς κόρης γενώμεθα.
ἤδη δὲ τοῦτ᾽ ἐλθὼν ποήσειν μοι δοκῶ.
καὶ γὰρ προσιόντας τούσδε Πανιστάς τινας   230
εἰς τὸν τόπον δεῦρ᾽ ὑποβεβρεγμένους ὁρῶ,
οἷς μὴ ᾽νοχλεῖν εὔκαιρον εἶναί μοι δοκεῖ.

ΧΟΡΟΥ

ACTVS II

ΓΟΡΓΙΑΣ

οὕτω παρέργως δ᾽, εἰπέ μοι, τῷ πράγματι
φαύλως τ᾽ ἐχρήσω;
Δα.   πῶς;
(Γο.)   ἔδει σε νὴ Δία
τὸν τῇ κόρῃ προσιόντα ⟨τόνδ᾽,⟩ ὅστις ποτ᾽ ἦν,   235
ἰδεῖν τότ᾽ εὐθύς, τοῦτο τοῦ λοιποῦ χρόνου
εἰπεῖν θ᾽ ὅπως μηδείς ποτ᾽ αὐτὸν ὄψεται
ποιοῦντα· νυνὶ δ᾽ ὥσπερ ἀλλοτρίου τινὸς
πράγματος ἀπέ⟨σ⟩της. οὐκ ἔνεστ᾽ ἴσως φυγεῖν
οἰκ⟨ε⟩ιότητα, Δᾶ᾽. ἀδελφῆς ἔτι μέλει   240

232 Chorum appropinquantem conspiciens exit Davus   233 Scaenam
intrant Gorgia et Davus

231-2 Cf. Epitr. 34-35, Peric. 76   239-40 οὐκ ἔνεστ᾽ . . . Δᾶ᾽ cit.
Σ Eur. Andr. 975 p. 309 Schwartz (= fr. 122 Koerte)

223 προ⟨σῆ⟩κον ἦν plerique: προκενην Π   230 Πανιστάς Ll.-J.:
παιανιςτας Π   235 ⟨τόνδ᾽⟩ Ll.-J.: post κόρῃ ⟨τοῦτον⟩ προσιόνθ᾽, Barrett:
post προσιόντα ⟨,Δᾶ᾽,⟩ Eitrem   236 τότ᾽ ed. pr.: τουτ᾽ Π   τοῦτο:
fort. καὶ τὸ (in v. 237 θ᾽ deleto)   240 ἔτι μέλει Handley, Robertson:
επιμελει Π

17

ἐμῆ[ς]. ὁ πατὴρ ἀλλότριος εἶναι βούλεται
αὐ[τ]ῆς πρὸς ἡμᾶς· μὴ τὸ τούτου δύσκολον
μ[ι]μώμεθ' ἡμεῖς. ἂν γὰρ αἰσχύνῃ τινὶ
αὕτη] περιπέσῃ, τοῦτο κἀμοὶ γίνεται
ὄνειδο]ς· ὁ γὰρ ἔξωθεν οὐ τὸν αἴτιον   245
ὅστις π]ρτ' ἐστὶν οἶδεν, ἀλλὰ τὸ γεγονός.
......].

(Δα.)   ὦ τᾶν, τὸν γέροντα, Γοργία,
δέδοικ'· ε]ἀν γὰρ τῇ θύρᾳ προσιόντα με
λάβῃ, κρ]εμᾷ παραχρῆμα.

Γο.   δυσχρήστως γέ πως
ἕξεις ζυ]γομαχῶν. τοῦτον οὔθ' ὅτῳ τρόπῳ   250
ἀναγκάσαι τις εἰς τὸ βέλτι[ον ῥέπει]ν
οὔτ' ἂν μεταπεῖσαι νουθετῶν ο[ἶδ' οὐδὲ εἶ]ς.
ἀλλ' ἐμποδὼν τῷ μὲν βιάσασθαι [τὸν ν]όμον
ἔχει μεθ' αὑτοῦ, τῷ δὲ πεῖσαι τὸν τρ[όπο]ν.

Δα.   ἔπισχε μικρόν· οὐ μάτην γὰρ ἥκομεν,   255
ἀλλ' ὥσπερ εἶπον ἔρχετ' ἀνακάμψας πάλιν.

Γο.   ὁ τὴν χλανίδ' ἔχων οὗτός ἐστιν ὃν λέγεις;

(Δα.) οὗτος.

(Γο.)   κακοῦργος εὐθὺς ἀπὸ τοῦ βλέμματος.

Σω.   τὸν μὲν Γέταν οὐκ ἔνδον ὄντα κατέλ[α]βον,
μέλλουσα δ' ἡ μήτηρ θεῷ θύειν τινὶ   260
οὐκ οἶδ' ὅτῳ. ποεῖ δὲ τοῦθ' ὁσημέραι,

259 Scaenam intrant Sostratus et Byrrhia: secum loquitur Sostratus

---

241 ἐμῆ[ς] Ll.-J.: ειμη[.] Π: ἡμῖ[ν] Barber, Merkelbach   242 μὴ
plerique: μηδε Π   244 αὕτη] Ll.-J., Lond.   247]ν aut]ι Π:
τί δ' ἐστί]ν Sandbach: ἀλλ' οὐδέ]ν Page   249 λάβῃ Roberts   κρ]εμᾷ
plerique   250 ἕξεις Ll.-J. (ἔχει ζυ]γομαχῶν ed. pr.)   τοῦτον ed.
pr.: τουτω Π   251 ἀναγκάσαι Ll.-J.: αναγκασειε Π   ῥέπει]ν Kassel
252 ο[ἶδ' οὐδὲ εἶ]ς Maas (ο[ἶδ' οὐδαμῶ]ς ed. pr.)   255 ἔπισχε μικρόν
plerique: επισχε ϲμικρον Π: μικρὸν δ' ἐπίσχες ed. pr. Formam tragicam
ἔπισχε fortasse excusat tonus tragico propior   256 εἶπον: ανειπον Π
257 ὁ ed. pr.: ου Π

18

περιέρχεται θύουσα τὸν δῆμον κύκλῳ
ἅπαντ'. ἀπέσταλκ' αὐτὸν αὐτόθεν τινὰ
μισθωσόμενον μάγειρον. ἐρρῶσθαι δὲ τῇ
θυσίᾳ φράσας ἥκω πάλιν πρὸς τἀνθάδε.   265
καί μοι δοκῶ τοὺς περιπάτους τούτους ἀφεὶς
αὐτὸς διαλέξασθ' ὑπὲρ ἐμαυτοῦ. τὴν θύραν
κόψω δ', ἵν' ᾖ μοι μηδὲ βουλεύσασθ' ἔτι.

Γο.   μειράκιον, ἐθελήσαις ἂν ὑπομεῖναι λόγον
σπουδαιότερόν μου;   270

(Σω.)   καὶ μάλ' ἡδ⟨έ⟩ως· λέγε.

(Γο.) εἶναι νομίζω πᾶσιν ἀνθρώποις ἐγώ,
τοῖς τ' εὐτυχοῦσιν τοῖς τε πράττουσιν κακῶς,
πέρας τι τοῦτο⟨υ⟩ καὶ μεταλλαγήν τινα,
καὶ τῷ μὲν εὐτυχοῦντι μέχρι τούτου μένειν
τὰ πράγματ' εὐθενοῦντ' ἀεὶ τὰ τοῦ βίου,   275
ὅσον ἂν χρόνον φέρειν δύνηται τὴν τύχην
μηδὲν ποήσας ἄδικον· εἰς δὲ τοῦθ' ὅταν
ἔλθῃ προαχθεὶς τοῖς ἀγαθοῖς, ἐνταῦθά που
τὴν μεταβολὴν τὴν εἰς τὸ χεῖρον λαμβάνει⟨ν⟩.
τοῖς δ' ἐνδεῶς πράττουσιν, ἂν μηδὲν κακὸν   280
ποιῶσιν ἀποροῦντες, φέρωσιν δ' εὐγενῶς
τὸν δαίμον', εἰς πίστιν ποτ' ἐλθόντας Χρόνῳ,
βελτίον' εἶναι μερίδα προσδοκᾶν τινα.
τί οὖν λέγω; μήτ' αὐτός, εἰ σφόδρ' εὐπορεῖς,
πίστευε τούτῳ, μήτε τῶν πτωχῶν πάλιν   285

268 Cnemonis portae appropinquat Sostratus; sed priusquam pulsare
possit, a Gorgia compellatur

Versuum 263–72, 283–90 frustula continet O (vid. p. xii)   284–7 Cf.
fr. 250 Koerte (Κυβερνῆται), 8–11 (cit. Stob., Ecl. iii. 22, 19)

---

266 καί μοι Winnington-Ingram: καμοι Π   267 διαλέξασθ': διαλέ-
ξεσθ' aliqui   273 τοῦτο⟨υ⟩ Page, Winnington-Ingram: τούτων ed. pr.
282 Χρόνῳ sic scribendum esse agnovit Dodds   284 in margine εὐτυχεῖς
(glossema ad εὐπορεῖς) O

ἡμῶν καταφρόνει· τοῦ διευτυχεῖν δ' ἀεὶ
πάρεχε σ⟨ε⟩αυτὸν τοῖς ὁρῶσιν ἄξιον.

Σω.   ἄτοπον δέ σοι τί φαίνομαι νυνὶ ποεῖν;
(Γο.)   ἔργον δοκεῖς μοι φαῦλον ἐζηλωκέναι,
πείσειν νομίζων ἐξαμαρτεῖν παρθένον   290
ἐλευθέραν, ἢ καιρὸν ἐπιτηρῶν τινα
κατεργάσεσθαι πρᾶγμα θανάτων ἄξιον
πολλῶν.

(Σω.)   Ἄπολλον.
(Γο.)   οὐ δίκαιόν ἐστι γοῦν
τὴν σὴν σχολὴν τοῖς ἀσχολουμένοις κακὸν
ἡμῖν γενέσθαι. τῶν δ' ἁπάντων ἴσθ' ὅτι   295
πτωχὸς ἀδικηθείς ἐστι δυσκολώτατον.
πρῶτον μέν ἐστ' ἐλεεινός, εἶτα λαμβά[νει
οὐκ εἰς ἀδικίαν ὅσα πέπονθ', ἀλλ' εἰς [ὕβριν.

Σω.   μειράκιον, οὕτως εὐτυχοίης, βραχ[ύ τί μου
ἄκουσον.   300

(Πυ.)   εὖ γε, δέσποθ'· οὕτω πολλά [σοι
ἀγαθὰ γένοιτο.

(Σω.)   καὶ σύ γ' ὁ λαλῶν πρ[όσεχε δή·
κόρην τιν' εἶδ[ον ἐνθαδί· τ]αύτης ἐρῶ.
εἰ τοῦτ' ἀδίκημ' [εἴρηκ]ας, ἠδίκηκ' ἴσως.

294 Cf. Sud. s.v. ἄσχολος = Bekker, *Anecd.* 457, 18 ἀσχολοῦμαι καὶ
ἀσχολεῖται (ἀσχολεῖ cod. Bekk.) καὶ ἀσχολεῖσθαι. πάντα ταῦτα Μένανδρος
λέγει, Φιλήμων δὲ καὶ ἀσχολεῖ (= fr. 828 Koerte)

---

286 τοῦδ' εὐτυχεῖν fr. 250, 10   288 σοι τί trsp. plerique: τι coι Π:
σοί τι Post   296 δυσποτμώτατον Barrett (quo accepto, in v. 298 ed. pr.
supplementum [τύχην servandum est): sed cf. 129 et seq.   298 [ὕβριν
plerique: vid. ad 296   299–301 distributio verborum inter personas
plane incerta   299–300 μειράκιον . . . ἄκουσον Gorgiae darent Sydn.,
qui v. 299 βραχ[έ' ἔτι supplerent   τί μου plerique   300–1 εὖ
γε . . : γένοιτο Davo darent plerique: verba οὕτω . . . γένοιτο fortasse
Sostrato attribuenda sunt   301 καὶ σύ γ' . . . πρ[όσεχε δή: utrum
Byrrhiam an Gorgiam adloquatur Sostratus incertum est   302 ἐνθαδί
plerique   303 [εἴρηκ]ας Ll.-J., Sydn.

ΔΥΣΚΟΛΟΣ

τί γὰρ ἄν τις εἴποι; π[λὴν π]ορεύομ' ἐνθάδε
οὐχὶ πρὸς ἐκείνη[ν, βο]ύλομαι δ' αὐτῆς ἰδεῖν   305
τὸν πατέρ'. ἐγὼ γά[ρ], ὧν ἐλεύθερος, βίον
ἱκανὸν ἔχων, ἕτοιμός εἰμι λαμβάνειν
αὐτὴν ἄπροικον, πίστιν ἐπιθεὶς διατελεῖν
στέργων. ἐπὶ κακῷ δ' εἰ προσελήλυθ' ἐνθάδε,
ἢ βουλόμενος ὑμῶν ⟨τι⟩ κακοτεχνεῖν λάθρᾳ,   310
οὗτός μ' ὁ Πάν, μειράκιον, αἱ Νύμφαι θ' ἅμα
ἀπόπληκτον αὐτοῦ πλησίον τῆς οἰκίας
ἤδη ποήσειαν. τετάραγμ⟨αι δ'⟩, ἴσθ' ὅτι,
οὐδὲ μετρίως, εἴ σοι τοιοῦτος φαίνομαι.

Γο.   ἀλλ' ε⟨ἴ⟩ τι κἀγὼ τοῦ δέοντος σφοδρότερον   315
εἴρηκα, μηδὲν τοῦτο λυπείτω σ' ἔτι.
ἅμα γὰρ μεταπείθεις ταῦτα καὶ φίλον μ' ἔχεις.
οὐκ ἀλλότριος δ' ὤν, ἀλλ' ἀδελφὸς τῆς κόρης
ὁμομήτριος, βέλτιστε, ταῦτά σοι λέγω.

Σω.   καὶ χρήσιμός γ' εἶ νὴ Δί' εἰς τὰ λοιπά μοι.   320
(Γο.)   τί χρήσιμος; γεννικὸν ὁρῶ⟨ν⟩ σε τῷ τρόπῳ
οὐ πρόφασιν εἰπὼν βούλομ' ἀποπέμψαι κενήν,
τὰ δ' ὄντα πράγματ' ἐμφανίσαι· ταύτῃ πατὴρ
ἔσθ' οἷος οὐδεὶς γέγονεν οὔτε τῶν πάλαι
ἄνθρωπος οὔτε τῶν καθ' ἡμᾶς·   325
(Σω.)   ὁ χαλεπός;
σχεδὸν οἶδα.
(Γο.)   ὑπερβολή τίς ἐστιν τοῦ κακοῦ.
τούτῳ ταλάντων ἔστ' ἴσως τουτὶ δυεῖν
τὸ κτῆμα. τοῦτ' αὐτὸς γεωργῶν διατελεῖ
μόνος, συνεργὸν δ' οὐδέν' ἀνθρώπων ἔχων,

304 π[λὴν π]ορεύομ' Sandbach, van Groningen   310 ⟨τι⟩ plerique
313 τετάραγμ⟨αι δ'⟩ ed. pr.: τετάραγμ⟨αί γ'⟩ Page: τετάραγμ'⟨, εὖ⟩ Handley
317 αιμα Π   320 γ' εἶ: γε Maas, qui hunc versum Gorgiae
continuaret, simul 321 τί χρήσιμος; Sostrato attribuens   μοι: σοι Maas
321 γεννικὸν . . . τῷ τρόπῳ Gorgiae dedit Fraenkel: duplex punctum post
χρήσιμος et post τῷ τρόπῳ habet Π   ὁρῶ⟨ν⟩ Fraenkel: ορω Π

οὐκ οἰκέτην οἰκεῖον, οὐκ ἐκ τοῦ τόπου   330
μισθωτόν, οὐχὶ γείτον᾽, ἀλλ᾽ αὐτὸς μόνος.
ἥδιστόν ἐστ᾽ αὐτῷ γὰρ ἀνθρώπων ὁρᾶν
οὐδένα· μεθ᾽ αὑτοῦ τὴν κόρην ἐργάζεται
ἔχων τὰ πολλά· προσλαλεῖ ταύτῃ μόνῃ,
ἑτέρῳ δὲ τοῦτ᾽ οὐκ ἂν ποήσαι ῥᾳδίως.   335
τότε φησὶν ἐκδώσειν ἐκείνην, ἡνίκ᾽ ἂν
ὁμότροπον αὐτῷ νυμφίον λάβῃ.

(Σω.)   λέγεις
οὐδέποτε.

(Γο.)   μὴ δὴ πράγματ᾽, ὦ βέλτιστ᾽, ἔχε·
μάτην γὰρ ἕξεις. τοὺς δ᾽ ἀναγκαίους ἔα
ἡμᾶς φέρειν ταῦθ᾽, οἷς δίδωσιν ἡ τύχη.   340
(Σω.) πρὸς τῶν θεῶν οὐπώποτ᾽ ἠράσθης τινός,
μειράκιον;
(Γο.)   οὐδ᾽ ἔξεστί μοι, βέλτιστε.
(Σω.)   πῶς;
τίς ἐ⟨σ⟩θ᾽ ὁ κωλύων;
(Γο.)   ὁ τῶν ὄντων κακῶν
λογισμός, ἀνάπαυσιν διδοὺς οὐδ᾽ ἡντινοῦν.
(Σω.) οὔ μοι δοκεῖς· ἀπειρότερον γοῦν διαλέγει   345
πε[ρὶ τ]αῦτ᾽. ἀποστῆναι κελεύεις μ᾽· οὐκέτι
τόδ᾽ ἐσ]τὶν ἐπ᾽ ἐμοί, τῷ θεῷ δέ.
(Γο.)   τοιγαροῦν
οὐδὲ]ν ἀδικεῖς ἡμᾶς, μάτην δὲ κακοπαθεῖς.
(Σω.) οὐκ ἂν λά]βοιμι τὴν κόρην;
(Γο.)   οὐκ ἂν λάβοις
. . . .]ηνα συν⟨α⟩κολουθήσας ἐμοί   350

334 ταύτῃ ed. pr.: ταυτη Π: possis τ᾽ αὐτῇ   338 οὐδέποτε: ουδεποτ᾽
ει Π   345 διαλέγει Browning: διατελει Π   346 τ]αῦτ᾽ Barrett, Turn ·
347 τόδ᾽ Page   348 οὐδὲ]ν plerique αδικειτ᾽ Π   349–54 supplementa
incerta   349 οὐκ ἂν λά]βοιμι plerique: εἰ γὰρ λά]βοιμι Page: πῶς ἂν
λά]βοιμι ed. pr.   350 fort. ὄψει δ᾽ ἐὰν σ]ὺ ( ]ηνασυνκ pro ηcυνα perperam
scripto)

ΔΥΣΚΟΛΟΣ

    ἐκεῖσε] παράγῃς· πλησίον γὰρ τὴν νάπην
    ἐργάζε]θ' ἡμῶν.
(Σω.)   πῶς;
(Γο.)   λόγον τιν' ἐμβαλῶ
εἰκῇ περὶ] γάμου τῆς κόρης· τὸ τοιοῦτο γὰρ
ἴδοιμι κἂ]ν αὐτὸς γενόμενον ἄσμενος.
εὐθὺς μαχεῖται πᾶσι, λοιδ[ορούμενο]ς   355
εἰς τοὺς βίους οὓς ζῶσι· σὲ δ' [ἄγον]ͳ' ⟨ἂν⟩ ἴδῃ
σχολὴν τρυφῶντά τ', οὐδ' ὁρ[ῶν γ' ἀν]έξεται.
Σω. νῦν ἐστ' ἐκεῖ;
(Γο.)   μὰ Δί', ἀλλὰ μ[ικρ]ὸν ὕστερον
ἔξεισιν ἣν εἴωθεν.
(Σω.)   ὦ τᾶν, τὴν [κ]όρην
ἄγων μεθ' αὑτοῦ, φής;   360
(Γο.)   ὅπως ἂν τοῦτό γε
τύχῃ.
(Σω.) βαδίζειν ⟨εἰμ'⟩ ἕτοιμος οἷ λέγεις.
ἀλλ', ἀντιβολῶ, συναγώνισαί μοι.
(Γο.)   τίνα τρόπον;
(Σω.) ὅντινα τρόπον; προάγωμεν οἷ λέγεις.
(Δα.)   τί οὖν;
ἐργαζομένοις ἡμῖν παρεστήξεις ἔχων
χλανίδα;   365
(Σω.) τί δὴ γὰρ οὐχί;
Δα.   ταῖς βώλοις βαλεῖ
εὐθύς σ', ἀποκαλεῖ τ' ὄλεθρον ἀργόν. ἀλλὰ δεῖ

351 ἐκεῖσε] Webster παράγῃς Ll.-J.: παρατης Π: alii alia 352 ἐρ-
γάζε]θ' plerique 353 εἰκῇ Barrett, Winnington-Ingram 354 ἴδοιμι
κἂ]ν Blake, Post 356 [ἄγον]ͳ' ⟨ἂν⟩ Ll.-J.: [. . . . (.)]ͳ' ἴδηι Π: [ἂν ἄγον]ͳ'
ed. pr. 357 ὁρ[ῶν plerique γ' Roberts (ob spatium) 358 μ[ικρ]ὸν
plerique 359 ὦ τᾶν ed. pr.: οταν Π 361 duplex punctum post
ἕτοιμος et post λέγεις habet Π 363–5 τί οὖν; . . . χλανίδα Davo dedit
Post: Gorgiae alii 365 δὴ γὰρ Handley (Denniston, *Greek Particles*
p. 211 citans): γαρ δη Π: γὰρ δῆ⟨τ'⟩ ed. pr. 366–70 (ἀλλὰ . . . πένητα)
Gorgiae dare vellet Sandbach

23

σκάπτειν μεθ' ἡμῶν σ'. εἰ τύχοι γὰρ τοῦτ' ἰδών,
ἴσως ἂν ὑπομείνειε καὶ παρὰ σοῦ τινα
λόγον, νομίσας αὐτουργὸν εἶναι τῷ βίῳ
πένηθ'.   370

(Σω.)   ἕτοιμος πάντα πειθαρχεῖν· ἄγε.

Γο.   τί κακοπαθεῖν σαυτὸν βιάζῃ;

Δα.   βούλομαι
ὡς πλεῖστον ἡμᾶς ἐργάσασθαι τήμερον,
τοῦτόν τε τὴν ὀσφῦν ἀπορρήξανθ' ἅμα
παύσασθ' ἐνοχλοῦνθ' ἡμῖν προσιόντα τ' ἐνθάδε.

Σω.   ἔκφερε δίκελλαν.   375

(Δα.)   τὴν παρ' ἐμοῦ λαβὼν ἴθι.
τὴν αἱμασιὰν ἐποικοδομήσω γὰρ τέως
ἐγώ· ποιητέον δὲ καὶ τοῦτ' ἐστί.

(Σω.)   δός.

(Δα.)   ἀπέσωσας. ὑπάγω, τρόφιμ'· ἐκεῖ διώκετε.

(Σω.)   οὕτως ἔχω γάρ· ἀποθανεῖν ἤδη με δεῖ
ἢ ζῆν ἔχοντα τὴν κόρην.   380

(Γο.)   εἴπερ λέγεις
ἃ φρονεῖς, ἐπιτύχοις.

(Σω.)   ὦ πολυτίμητοι θεοί·
οἷς ἀποτρέπεις νυνὶ γὰρ ὡς οἴει με σύ,
τούτοις παρώξυμμ' εἰς τὸ πρᾶγμα διπλασίως.
εἰ μὴ γὰρ ἐν γυναιξίν ἐστιν ἡ κόρη
τεθραμμένη, μηδ' οἶδε τῶν ἐν τῷ βίῳ   385
τούτῳ κακῶν μηδὲν ὑπὸ τηθίδος τινὸς

371–4 Sostratum adloquitur Gorgia, dein secum loquitur Davus (sed vid. app. crit.)   378 Exit Davus

---

371 fort. αὐτόν (si Davum adloquitur Gorgia)   372 ἡμᾶς ed. pr.: ημερας Π   376 ἐποικοδομήσω γὰρ Barrett, Turner: ετι γαρ οικ. Π   378 ἀπέσωσας Sostrato continuat ed. pr.   διώκετε: δίωκέ με Page   379 γάρ· ἀποθανεῖν Ll.-J.: παραποθανειν Π   386 τούτῳ ed. pr.: τουτων Π

δεδισσομένη μαίας τ', ἐλευθερίως δέ πως
μετὰ πατρὸς αὐτοῦ μισοπονήρου τῷ τρόπῳ,
πῶς οὐκ ἐπιτυχεῖν ἐστι ταύτης μακάριον;
ἀλλ' ἡ δίκελλ' ἄγει τάλαντα τέτταρα   390
αὕτη· προαπολεῖ μ'. οὐ μαλακιστέον δ' ὅμως,
ἐπείπερ ἦργμαι καταπονεῖν τὸ πρᾶγμ' ἅπαξ.

ΣΙΚΩΝ

τουτὶ τὸ πρόβατόν ἐστιν οὐ τὸ τυχὸν κακόν.
ἄπαγ' εἰς τὸ βάραθρον. ἂν μὲν αἰρόμενος φέρω
μετέωρον, ἔχεται τῷ στόματι θαλλοῦ κράδης,   395
κατεσθίει τὰ θρῖ', ἀποσπᾷ πρὸς βίαν·
ἐὰν δ' ἀφῇ χαμαί τις, οὐ προέρχεται.
τοὐναντίον δὴ γέγονε· κατακέκομμ' ἐ[γὼ
ὁ μάγειρος ὑπὸ τούτου νεωλκῶν τὴν ὁδ[όν.
ἀλλ' ἐστὶν εὐτυχῶς τὸ νυμφαῖον τοδ[ί,   400
οὗ θύσομεν. τὸν Πᾶνα χαίρειν. παῖ Γέ[τα,
τοσοῦτ' ἀπολ⟨ε⟩ίπῃ;

(ΓΕΤΑΣ)

                        τεττάρων γὰρ φορ[τίον
ὄνων συνέδησαν α⟨ἱ⟩ κάκιστ' ἀπολο[ύμεναι
φέρειν γυναῖκές μοι.

(Σικ.)   πολύς τις ἔρ[χεται
ὄχλος, ὡς ἔοι[κε. στρ]ώματ' ἀδιήγηθ' ὅσα   405
φέρεις.

392 Exeunt Sostratus et Gorgia   393 Scaenam intrat Sico biden-
tem trahens   401 Scaenam intrat Geta pulvinis cumulatus

387 δεδισσομένη Ll.-J.: δεδεισαμενη Π. Formam aliquam huius verbi
poetam usurpasse censeo, quae autem forma fuerit ignoro (δεδισκομένη?
δειδίσσομένη? δεδιξαμένη? fortasse autem rectam formam habet Π)
388 μετὰ πατρὸς αὐτοῦ Griffith: μετ αυτου πατρος αγριου Π   389 ἐστι
ταύτης plerique: εστιν ταυτης Π: ἐστὶν αὐτῆς ed. pr.   391 προαπολεῖ
Kraus, Maas: προσαπολει Π   393 κακόν plerique: καλον Π: καλόν ut
ironice usurpatum defendit Thierfelder   396 πρὸς Ll.-J.: δ' ἐς Π:
δ' ἐκ βίας (cf. Heros 79) Fraenkel   397 χαμαί τις ed. pr.: τις χαμαι Π
398 δὴ γέγονε Barber (cf. Antiphan. fr. 233, 2 et seq. (ii 113 Kock): δ'
ηγαγον Π   400 τοδ[ί Page   403 απολο[: potius απολι[vel απολη[habet Π

(Γε.)   τί δ' ἐγ[. . . . .]

(Σικ.)   δεῦρ' ἔρεισον ταῦτ'.

(Γε.)   ἰδού.

⟨ἐ⟩ὰν ἴδη γὰρ ἐνύ[πνιο]ν τὸν Πᾶνα τὸν
Παιανιοῖ, τού[τ]ῳ βαδιούμεθ', οἶδ' ὅτι,
θύσοντες εὐθύς.

(Σικ.)   [τ]ί⟨ς⟩ δ' ἑόρακεν ἐνύπνιον;

(Γε.)   ἄνθρωπε, μή με κόφθ'.   410

(Σικ.)   ὅμως εἶπον, Γέτα·
τίς ⟨ε⟩ἶδεν;

(Γε.)   ἡ κεκτημένη.

(Σικ.)   τί πρὸς θεῶν;

(Γε.)   ἀπολεῖς· ἐδόκει τὸν Πᾶνα—

(Σικ.)   τουτονὶ λέγεις;

(Γε.)   τοῦτον.

(Σικ.)   τί ποιεῖν;

(Γε.)   τῷ τροφίμῳ τῷ Σωστράτῳ—

(Σικ.)   κομψῷ νεανίσκῳ γε—

(Γε.)   περικρούειν πέδας.

(Σικ.)   Ἄπολλον.   415

(Γε.)   εἶτα δόντα διφθέραν τε καὶ
δίκελλαν ⟨ἐν⟩ τῷ πλησίον χωρι⟨δί⟩ῳ
σκάπτειν κελεύειν.

(Σικ.)   ἄτοπον.

(Γε.)   ἀλλὰ θύομεν
διὰ τοῦθ', ἵν' εἰς βέλτιον ἀποβῇ τὸ φοβερόν.

Σικ.   μεμάθηκα. πάλιν αἴρου δὲ ταυτὶ καὶ φέρε
εἴσω. ποήσω στιβάδας ἔνδον εὐτρεπεῖς   420
καὶ τἄλλ' ἔτοιμα· μηδὲν ἐπικωλυέτω

---

406 ἐγ[ωγ' οὔ;] Page   δεῦρ' ἔρεισον ταῦτ' Page: ερεισον ταυτα δευρο Π
duplex punctum non post δευρο, sed post ἴδου habet Π   407 τὸν²ed. pr.:
τε Π   408 τον παιανιοι Π   410 με ed. pr.: μοι Π   414 γε
νεανισκωι Π: trsp. plerique   416 χωρι⟨δί⟩ω Ll.-J.: τω χωριωι Π: ἐν τῷ
χωρίῳ τῷ πλησίον ed. pr.   420 ποήσω Maas: ποιησωμεν Π: ποῶμεν ed. pr.

ΔΥΣΚΟΛΟΣ

θυσίαν γ', ἐπὰν ἔλθωσιν. ἀλλ' ἀγαθῇ τύχῃ.
καὶ τὰς ὀφρῦς ἄνες ποτ', ὦ τρισάθλιε·
ἐγώ σε χορτάσω κατὰ τρόπον τήμερον.

Γε.   ἐπαινέτης μέν εἰμι σοῦ καὶ τῆς τέχνης   425
ἔγωγ' ἀεί ποτ'—οὐχὶ πιστεύω, δ' ὅμως.

ΧΟΡΟΥ

ACTVS III

Κν.   γραῦ, τὴν θύραν κλ⟨ε⟩ίσασ' ἄνοιγε μηδενί,
ἕως ἂν ἔλθω δεῦρ' ἐγὼ πάλιν· σκότους
ἔσται δὲ τοῦτο παντελῶς, ὡς οἴ⟨ο⟩μαι.

(ΓΥΝΗ)
    Πλαγγών, πορεύου θᾶττον· ἤδη τεθυκέναι   430
ἡμᾶς ἔδει.

Κν.   τουτὶ τὸ κακὸν τί βούλεται;
ὄχλος τις· ἄπαγ' ἐς κόρακας.

(Γυ.)   αὔλει, Πάρθενι,
Πανός· σιωπῇ, φασί, τούτῳ τῷ θεῷ
οὐ δεῖ προσιέναι.

(Γε.)   νὴ Δί', ἀπεσώθητέ γε.
ὦ Ἡράκλεις, ἀηδίας. καθήμεθα   435
χρόνον τοσοῦτον περιμένοντες.

426 Exeunt in sacellum Sico et Geta   427 Cnemo ex aedibus suis
egrediens Simicam intus remorantem adloquitur   430 Scaenam
intrat mater Sostrati cum filia (quam Plangonem nominatam esse opinor)
atque ancillis apparatum ad sacrificium portantibus; quibus conspectis
Cnemo ante portam suam consistit   431–2 Secum loquitur Cnemo,
quem non conspiciunt sacrificantes   434 Prodit e sacello Geta
435–6 Secum loquitur Geta

433–4 σιωπῇ . . . προσιέναι cit. Σ Ar. Lysistr. 2 et Sud. s.v. Πανικῷ
δείματι (= fr. 121 Koerte)

---

422 θυσίαν Maas: θυςειν Π: θῦσαί plerique: θύειν alii   423 ἄνες
ποτ' plerique: ανεσπογ' Π   425 μέν plerique: ουν Π: γοῦν alii   ἐπαι-
νέτης σοῦ γ' εἰμὶ καὶ τῆς ⟨σῆς⟩ τέχνης Griffith   430–1 Πλαγγών . . .
ἔδει matri Sostrati dedit Ritchie: Getae Π   432 εις Π   434 δεῖ
Π: δεῖν Σ Ar., Sud.

(Γυ.)   εὐτρεπῆ
ἅπαντα δ' ἡμῖν ἐστι;

(Γε.)   ναὶ μὰ τὸν Δία.
τὸ γοῦν πρόβατον—μικροῦ τέθνηκε γὰρ τάλαν—
οὐ περιμενεῖ τὴν σὴν σχολήν. ἀλλ' εἴσιτε.

(Γυ.)   κανᾶ πρόχειρα, χέρνιβας, θυλήματα   440
ποιεῖτε.

(Γε.)   ποῖ κέχηνας, ἐμβρόντητε σύ;
Κν.   κακοὶ κακῶς ἀπόλοισθε. ποιοῦσίν γέ με
ἀργόν· καταλιπεῖν γὰρ μόνην τὴν οἰκίαν
οὐκ ἂν δυναίμην. αἱ δὲ Νύμφαι μοι κακὸν
ἀ[εὶ] παροικοῦσ', ὥστε μοι δοκῶ πάλιν   445
με]τοικοδομήσειν, καταβαλὼν τὴν οἰκίαν,
ἐντ]εῦθεν. ὡς θύουσι δ' οἱ τοιχωρύχοι
κοίτ]ας φέροντες, σταμνί', οὐχὶ τῶν θεῶν
ἕνε]κ', ἀλλ' ἑαυτῶν. ὁ λιβανωτὸς εὐσεβὲς
καὶ] τὸ πόπανον· τοῦτ' ἔλαβεν ὁ θεὸς ἐπὶ ⟨τὸ⟩ πῦρ 450
ἅπα]ν ἐπιτεθέν· οἱ δὲ τὴν ὀσφῦν ἄκραν
καὶ] τὴν χολήν, ὅτι ἔστ' ἄβρωτα, τοῖς θεοῖς
ἐπιθέντες αὐτοὶ τἆλλα κ[αταπίνο]υσι. γραῦ,
ἄνοιγε θᾶττον τὴν θύραν· [τηρητέ]ον

441 Sacellum intrat mater Sostrati cum filia atque ancillis   ποῖ . . .
σύ; utrum ancillarum aliquam an Cnemonem increpet Geta incertum

447–53 ὡς θύουσι . . . καταπίνουσι cit. Athenaeus iv 146 ε : 449–51 ὁ
λιβανωτὸς . . . τεθέν (sic) cit. Porphyrius de abstinentia p. 147 Nauck²
(= fr. 117 Koerte)

436–7 εὐτρεπῆ . . . ἐστι; matri Sostrati dedit (nota interrogationis posita)
Ritchie   438 ταλαιν' Π   439 verba ἀλλ' εἴσιτε fort. matri Sostrati at-
tribuenda sunt. Neque duplex punctum post εἴσιτε neque paragraphum sub
hoc versu habet Π   440–1 κανᾶ . . . ποιεῖτε matri Sostrati dedit Ritchie
441 ποῖ . . . συ; contra Π Getae dederunt plerique   κέχηνας ed. pr.: κεχο-
νας Π   445 ἀ[εὶ] παροικοῦσ' Ll.-J.: α[.].αρπαροικους Π ( )παρ vel]γαρ
Roberts): nempe αι scriptum est pro ἀεί, deinde per dittographiam παρ
448 κοίτας φέροντες Athen.:]αι φερονται Π   449 εὐσεβὲς Π, Athen.:
εὐσεβὴς Porphyr.   454 [τηρητέ]ον Barrett, Lond.: [ὁρατέ]ον Page,
spatium illi sufficere non ratus: [φυλακτέ]ον sine dubio longius spatio est

       ἐστὶν γὰρ ἡμῖν τἄνδον, ὦ[ς ἐμοὶ] δοκεῖ.   455

(Γε.)   τὸ λεβήτιον, φής, ἐπιλέλη[στ]αι; παντελῶς
       ἀποκραιπαλᾶτε. καὶ τί νῦν ποιή[σ]ομεν;
       ἐνοχλητέον τοῖ⟨ς⟩ γ⟨ε⟩ιτνιῶσι τῷ θεῷ
       ἔσθ᾽, ὡς ἔοικε. παιδίον. μὰ τοὺς θεούς,
       θεραπαινίδια γὰρ ἀθλιώτερ᾽ οὐδαμοῦ   460
       οἶμαι τρέφεσθαι. παῖδες. οὐδὲν ἄλλο πλὴν
       κινητιᾶν ἐπίσταται—παῖδες καλοί—
       καὶ διαβαλεῖν ἐὰν ἴδῃ τις. παιδίον.
       τουτὶ ⟨τί⟩ τὸ κακόν ἐστι; παῖδες. οὐδὲ εἷς
       ἔστ᾽ ἔνδον; ἡ⟨ή⟩ν, προστρέχειν τις φαίνεται.   465

Κν.   τί τῆς θύρας ἅπ⟨τ⟩ει, τρισάθλι᾽; εἰπέ μοι,
       ἄνθρωπε.

(Γε.)   μὴ δάκῃς.

(Κν.)   ἐγώ σε, νὴ Δία,
       καὶ κατέδομαί γε ζῶντα.

(Γε.)   μὴ πρὸς ⟨τῶν⟩ θεῶν.

(Κν.)   ἐμοὶ γάρ ἐστι συμβόλαιον, ἀνόσιε,
       καὶ σοί τι;   470

(Γε.)   συμβόλαιον οὐδέν. τοιγαροῦν
       προσελήλυθ᾽ οὐ χρέος σ᾽ ἀπαιτῶν, οὐδ᾽ ἔχων
       κλητῆρας, ἀλλ᾽ αἰτησόμενος λεβήτιον.

455 Exit in aedes suas Cnemo   456 Prodit e sacello Geta, aliquem
intus remorantem etiamnunc adloquens   459 Cnemonis portam pulsat
Geta   466 Portam suam aperit Cnemo; prodit et ante limen consistit

456 Cramer, *Anecd. Oxon.* iii. 273, 8 γίνεται τὰ ὑποκορίσματα ἢ διὰ ⟨τὸ⟩
γελοῖον . . . ἢ δι᾽ ἀναγκαιότητα, ὡς ἐὰν ὅ αἰτῇ τις σμικρύνῃ, ἵνα μὴ μεγάλην
ποιήσῃ τὴν χάριν· ᾧ κέχρηνται οἱ κωμικοί, ὡς ἔχει τὸ παρὰ Μενάνδρῳ λεβήτιον
(= fr. 866 Koerte)

456 ἐπιλελη[στ]αι Roberts: ἐπιλελη[...]αι Π: ἐπιλέλη[σθ]ε Zuntz
464 ⟨τί⟩ hoc loco inseruerunt Page, Sandbach: post τὸ κακόν ed. pr.
466 ἅπ⟨τ⟩ει plerique   467 verba μὴ δάκῃς Getae dedit Handley: duplex
punctum post ἄνθρωπε non habet Π   470 τί; ed. pr.

(Κν.)   λεβήτιον;
(Γε.)   λεβήτιον.
(Κν.)   μαστιγία,
θύειν με βοῦς οἴει ποιεῖν τε ταῦθ' ἅπερ
ὑμεῖς ποεῖτ';   475
(Γε.)   οὐδὲ κοχλίαν ἔγωγέ σε.
ἀλλ' εὐτύχει, βέλτιστε. κόψαι τὴν θύραν
ἐκέλευσαν αἱ γυναῖκες αἰτῆσαί τέ με·
ἐπόησα τοῦτ'· οὐκ ἔστι· πάλιν ἀπαγγελῶ
ἐλθὼν ἐκείναις. ὦ πολυτίμητοι θεοί·
ἔχις πολιὸς ἄνθρωπός ἐστιν οὑτοσί.   480
(Κν.)   ἀνδροφόνα θηρί'· εὐθὺς ὥσπερ πρὸς φίλον
κόπτουσιν. ἂν ὑμῶν προσιόντα τῇ θύρᾳ
λάβω τιν', ἂν μὴ πᾶσι τοῖς ἐν τῷ τόπῳ
παράδ⟨ε⟩ιγμα ποιήσω, νομίζεθ' ἕνα τινὰ
ὁρᾶν με τῶν πολλῶν. ὁ νῦν οὐκ οἶδ' ὅπως   485
διευτύχηκεν οὗτος, ὅστις ἦν ποτε.
Σικ.   κάκιστ' ἀπόλοι'. ἐλοιδορεῖτό σοι; τυχὸν
ᾔτεις †καταφαγ† ὡς οὐκ ἐπίστανται τινες
ποεῖν τὸ τοιοῦθ'· εὕρηκ' ἐγὼ τούτου τέχνην.
διακονῶ γὰρ μυρίοις ἐν τῇ πόλει,   490
τούτων τ' ἐνοχλῶ τοῖς γείτοσι⟨ν⟩ καὶ λαμβάνω
σκεύη παρ' ἁπάντων. δεῖ γὰρ εἶναι κολακικὸν
τὸν δεόμενόν του. πρεσβύτερός τις τ[ῇ] θύρᾳ

476–80 Secum loquitur Geta; locutus exit in sacellum   486 Redit
in aedes suas Cnemo   487 Prodit e sacello Sico; sequitur Geta

489 εὕρηκ'... τέχνην cit. Ammonius p. 61 Valckenaer (= fr. 125 Koerte)

473 λεβοίτιον bis Π   474 τε ed. pr.: δε Π   478 ἀπαγγελῶ ed. pr.:
απαγγελλω Π: απαγγέλλω πάλιν Page   482 ψο in κο corr. Π: fort.
ψοφοῦσιν scribere coeperat scriba   483 λαβων Π   487 κάκιστ' ἀπόλοιο
Getae dat Zuntz   488 fort. recte se habet ᾔτεις· κατάφαγ': ⟨σ⟩κατο-
φάγως ed. pr.: καταφανῶς Dodds, Handley   489 τοιοῦθ' ed. pr.: τοιουτον
Π   εὑρηκὸς κἀγὼ Ammonius   491 τ' Barigazzi, Thierfelder: τι Π
492 παρ' ἁπάντων Sandbach: παραπαντων Π: παρὰ πάντων ed. pr.

30

ὑπακήκο'· εὐθὺς πατέρ⟨α⟩ καὶ πάπᾳ[ν καλῶ.
γρα⟨ῦ⟩ς, μητέρ'. ἂν τῶν διὰ μέσου τ[ις ᾖ γυνή,   495
ἐκάλεσ' ἱερέαν. ἂν θεράπων [◡◡◡◡ ◡ –
βέλτιστον. ὑμεῖς δ' ⟨οἱ⟩ κρεμάνγ[υσθ' ἄξιοι—
ὢ τῆς ἀμαθίας—"παιδίον, παῖ[δες" φατέ.
ἐγὼ—πρόελθε, πατρίδιον—σὲ β[ούλομαι.

Κν.	πάλιν αὖ σύ;	500
(Σικ.)	τ[αῖ, τί το]ῦτ';	
(Κν.)	ἐρεθίζεις μ' ὡσπερεὶ	

ἐπίτηδες. οὐκ [εἴρη]κά σοι πρὸς τὴν θύραν
μὴ προσιέναι; [τὸ]ν ἱμάντα δός, γραῦ.

(Σικ.)	μηδαμῶς·	

ἀλλ' ἄφες.

(Κν.)	ἄφε[ς;]
(Σικ.)	βέλτιστε, ναὶ πρὸς ⟨τῶν⟩ θεῶν.
(Κν.)	ἧκε πάλιν.
(Σικ.)	ὁ Ποσειδῶν σε—
(Κν.)	καὶ λαλεῖς ἔτι;
(Σικ.)	αἰτούμενος χυτρόγαυλο[ν] ἦλθον. 505
(Κν.)	οὐκ ἔχω

οὔτε χυτρό[γ]αυλον οὔτε πέλεκυν οὔθ' ἅλας
οὔτ' ὄξος οὔτ' ἄλλ' οὐδέν· ἀλλ' εἴρηχ' ἁπλῶς

499 Aperit portam suam Cnemo et in limine apparet

505–6 Cf. Choerobosc. in Theodos. i. 259, 16 Hilgard . . . ὡς μαρτυρεῖ
. . . ὁ Μένανδρος· οὐκ ἔχω οὔθ' ἅλας οὔτ' ὄξος οὔτ' ὀρίγανον (= fr. 671 Koerte)

494 πατέρ⟨α⟩ plerique πάπ[αν καλῶ plerique 495 ad finem τ[ις ᾖ γυνή
Ll.-J., Thierfelder ([τις ἦν γυνή ed. pr.) 496 ἱερέαν Handley: ἱέρειαν Π,
Lond. fort. [ἤ τις πένης Ll.-J. 497 ⟨οἱ⟩ Ll.-J.: ὑμεῖς δ'—⟨ὦ⟩, κτλ.
Fraenkel 498 "παιδίον, παῖ[δες" Winnington-Ingram φατέ Ll.-J.:
καλεῖν Winnington-Ingram 499 β[ούλομαι Barrett 500 (Γε.) τ[αῖ,
τί το]ῦτ'; Handley 503 secundum ἄφε[ς;] Cnemoni dant Diano,
Zuntz 505 αἰτούμενος χυτρόγαυλο[ν] trsp. Ll.-J.: χυτρογαυλο[ν] αἰτουμε-
νος Π: χ. αἰτησόμενος ed. pr. 507 αλλ' ουδεν Π: ὀρίγανον ex fragmento
supra citato inserere volunt Lond.

ΜΕΝΑΝΔΡΟΥ

       μὴ προσι[έ]ναι μοι πᾶσι τοῖς ἐν τῷ τόπῳ.

(Σικ.)   ἐμοὶ μὲν οὐκ εἴρηκας.

(Κν.)   ἀλλὰ νῦν λέγω.

(Σικ.)   ναί, σὺν κακῷ γ᾽. οὐδ᾽ ὁπόθεν ἄν τις, εἰπέ μοι,   510
       ἐλθὼν λάβοι φράσαις ἄν;

(Κν.)   οὐκ ἐγὼ 'λεγον;
       ἔτι μοι λαλήσεις;

(Σικ.)   χαῖρε πόλλ᾽.

(Κν.)   οὐ βούλομαι
       χαίρειν παρ᾽ ὑμῶν οὐδενός.

(Σικ.)   μὴ χαῖρε δή.

(Κν.)   ὦ τῶν ἀνηκέστων κακῶν.

(Σικ.)   καλῶς γέ με
       βεβωλοκόπηκεν.   515

(Γε.)   οἷόν ἐστ᾽ ἐπιδεξίως
       αἰτεῖν· διαφέρει, νὴ Δί᾽.

(Σικ.)   ἐφ᾽ ἑτέραν θύραν
       ἔλθῃ τις; ἀλλ᾽ εἰ σφαιρομαχοῦσ᾽ ἐν τῷ τόπῳ
       οὕτως ἑτοίμως, χαλεπόν. ἆρά γ᾽ ἐστί μοι
       κράτιστον ὀπτᾶν τὰ κρέα πάντα; φαίνεται.
       ἔστιν δέ μοι λοπάς τις. ἐρρῶσθαι λέγω   520
       Φυλασίοις· τοῖς οὖσι τούτοις χρήσομαι.

Σω.   ὅστις ἀπορεῖ κακῶν, ἐπὶ Φυλὴν ἐλθέτω
       κυνηγετήσων. τρισκακοδαιμόνως ἔχω

---

514 Redit in aedes suas Cnemo   521 Exeunt in sacellum Sico et Geta
522 Scaenam intrat Sostratus

   514–15 καλῶς . . . βεβωλοκόπηκεν sine nomine poetae cit. Aelius Diony-
sius ('vel potius Aelius Herodianus?' Pfeiffer) περὶ ἐγκλινομένων λέξεων
ap. Aldum, Horti Adonidis p. 234 a (= Ar. frag. 57 Demiańczuk, fr. 913 A
Edmonds): fragmentum comicum esse agnovit et Aristophani assignavit
O. Kaehler, *Hermes* 21, 1886, 628–9

   510 νη Π   οὐδ᾽ Barigazzi: ουθ᾽ (aliqua littera (δ?) supra θ scripta) Π
·514 γε om. Ael. Dionys.   515–16 οἷον . . . νὴ Δί᾽ Getae dederunt
Barrett, Lond.: Siconi continuat Π   520 μοι και Π   523 ω ante
τρισκακοδαιμόνως del. ed. pr.

ὀσφῦν, μετάφρενον, τὸν τράχηλον, ἐνὶ λόγῳ
ὅλον τὸ σῶμ'. εὐθὺς γὰρ ἐμπεσὼν πολὺς 525
νεανίας ἐγώ τις, ἐξαίρων ἄνω
σφόδρα τὴν δίκελλαν, ὥσπερ ἐργάτης βαθὺ
†ειγαιπλειον† ἐπεκείμην φιλοπόνως οὐ πολὺν
χρόνον· εἶτα καὶ μετεστρεφόμην τι, πηνίκα
ὁ γέρων πρόσεισι τὴν κόρην ἄγων ἅμα 530
σκοπούμενος. καὶ νὴ Δί' ἐλαβόμην ποτὲ
τῆς ὀσφύος, λάθρᾳ τὸ πρῶτον. ὡς μακρὸν
ἦν παντελῶς δὲ τοῦτο, λορδοῦν ἠρχόμην,
ἀπεξυλούμην ἀτρέμα. κοὐδεὶς ἤρχετο.
ὁ δ' ἥλιος κατέκα', ἑώρα τ' ἐμβλέπων 535
ὁ Γοργίας ὥσπερ τὰ κηλώνειά με
μόλις ἀνακύπτοντ', εἶθ' ὅλῳ τῷ σώματι
πάλιν κατακύπτοντ'. "οὐ δοκεῖ μοι νῦν", ἔφη,
"ἥξειν ἐκεῖνος, μειράκιον." "τί οὖν", ἐγὼ
εὐθύς, "ποῶμεν;" "αὔριον τηρήσομεν 540
α[ὐ]τόν, τὸ δὲ νῦν ἐῶμεν." ὅ τε Δᾶος παρῆν
ἐπὶ] τὴν σκαπάνην διάδοχος. ἡ πρώτη μὲν οὖν
ἔφο]δος τοιαύτη γέγονεν. ἥκω δ' ἐνθάδε,
διὰ] τί μὲν οὐκ ἔχω λέγειν, μὰ τοὺς θεούς,
ἕλκ]ει δέ μ' αὐτόματον τὸ πρᾶγμ' εἰς τὸν τόπον. 545
(Γε.)   τί τὸ κακ]όν; οἴει χεῖρας ἑξήκοντά με,
ἄνθρ]ωπ', ἔχειν; τοὺς ἄνθρακάς σοι ζωπυρῶ,
. . . .]ῃαι, †πολυνω† φέρω, κατατέμνω σπλάγχν', ἅμα

546 Prodit e sacello Geta, coquum intus remorantem etiamnunc adlo-
quens; Sostratum primo non conspicit

527–8 locus desperatus   ὥσπερ Fraenkel: ωσαν Π   βαθὺ⟨ς⟩ ed. pr.
528 ειγαιπλειον vel εγαιπλειον Π: fort. ἐπὶ πλεῖον (accepto in v. 527 βα-
θὺ⟨ς⟩)   534 κοὐδεὶς Ll.-J.: δ' εουδ' εις Π   536 τὰ κηλώνειά με ed.
pr.: τακηλωναειμε Π   541 ἐῶμεν ed. pr.: εασομεν Π   542 ἐπὶ Ll.-J.
543 ἔφο]δος plerique   545 ἕλκ]ει Barrett, Lond.   546 τί τὸ κακ]όν;
plerique   547 ἄνθρ]ωπ' plerique   548 . . . .]ῃαι: prima littera vel
π vel μ vel ν   locus desperatus; ex. gr. πέτο]μαι, φέρω, πλύνω, Barber

33

μάττω, περιφέρω τα.[. . . . . . .το]υτονί·
ὑπὸ τοῦ καπνοῦ τυφλὸς [. . . . . .]s τούτοις. ὄνος 550
ἄγειν δοκῶ μοι τὴν ἑορτή[ν.

Σω.   π]αῖ, Γέτα.
Γε.   ἐμὲ τίς;
(Σω.)   ἐγώ.
(Γε.)   σὺ δ᾽ ε⟨ἶ⟩ τίς;
(Σω.)   οὐχ [ὁρᾷ]s;
(Γε.)   ὁρῶ·
τρόφιμος.
(Σω.)   τί πο⟨ι⟩εῖτ᾽ ἐνθάδ᾽; [εἰ]πέ μοι.
(Γε.)   τί γάρ;
τεθύκαμεν ἄρτι καὶ παρασκευάζομεν
ἄριστον ὑμῖν.   555
(Σω.)   ἐνθάδ᾽ ἡ μήτηρ;
(Γε.)   πάλαι.
(Σω.) ὁ πατὴρ δέ;
(Γε.)   προσδοκῶμεν· ἀ[λ]λὰ πάραγε σύ.
(Σω.) μικρὸν διαδραμὼν ἐνθαδί. τρ[ό]πον τινὰ
γέγον᾽ οὐκ ἄκαιρος ἡ θυσία. παραλήψομαι
τὸ μειράκιον τουτί, παρελθὼν ὡς ἔχω,
καὶ τὸν θεράποντ᾽ αὐτοῦ· κεκοινωνηκότες   560
ἱερῶν γὰρ εἰς τὰ λοιπὰ χρησιμώτεροι
ἡμῖν ἔσονται σύμμαχοι πρὸς τὸν γάμον.
(Γε.) τί φῄς; ἐπ᾽ ἄριστόν τινας παραλαμβάνειν
μέλλεις πορευθείς; ἔνεκ᾽ ἐμοῦ τρισχίλιοι
γένοισθ᾽. ἐγὼ μὲν γὰρ πάλαι τοῦτ᾽ οἶδ᾽, ὅτι   565
οὐ γεύσομ᾽ οὐδενός· πόθεν γάρ; συνάγετε

557–62 τρόπον τινὰ . . . γάμον secum loquitur Sostratus

549 fort. τὰ κ[ρέα, τηρῶ το]υτονί (ad περιφέρω τὰ κ[ρέα, cf. Xen. Cyr. ii.
2, 2)   550 [εἶμι πρὸ]s Barrett   duplex punctum post τούτοις addidit
Π²   ὄνος Barrett, Handley, Kassel: ολος Π   557 fort. διαδραμών ⟨γ᾽⟩
561 χρηϲιμωτεραι Π

ΔΥΣΚΟΛΟΣ

πάντας. καλὸν γὰρ τεθύκαθ' ἱερεῖον, πάνυ
ἄξιον ἰδεῖν. ἀλλὰ ⟨τὰ⟩ γύναια ταῦτά· μοι,
ἔχει γὰρ ἀστείως, μεταδοίη γ' ἄν τινος;
οὐδ' ἄν, μὰ τὴν Δήμητρ', ἁλὸς πικροῦ.   570

(Σω.)   καλῶς
ἔσται, Γέτα, τὸ τήμερον. μαντεύσομαι
τοῦτ' αὐτός, ὦ Πάν—ἀλλὰ μὴν προσεύχομαι
ἀεὶ παριών σοι—καὶ φιλανθρωπεύσομαι.

ΣΙΜΙΚΗ
ὦ δυστυχής, ὦ δυστυχής, ὦ δυστυχής.

(Γε.)   ἄπαγ' εἰς τὸ βάραθρον· τοῦ γέροντός τις γυνὴ   575
προελήλυθεν.

(Σιμ.)   τί πείσομαι; τὸν γὰρ κάδον
ἐκ τοῦ φρέατος βουλομένη τοῦ δεσπότου,
εἴ πως δυναίμην, ἐξελεῖν αὐτὴ λάθρᾳ,
ἐνῆψα τὴν δίκελλαν ἀσθενεῖ τινι
καλῳδίῳ σαπρῷ, διερράγη τέ μοι   580
τοῦτ' εὐθύς—

(Γε.)   ὀρθῶς.
(Σιμ.)   ἐνσέσεικά τ' ἀθλία
καὶ τὴν δίκελλαν εἰς τὸ φρέαρ μετὰ τὸν κάδον.

(Γε.)   ῥῖψαι τὸ λοιπόν σοι σεαυτὴν ἔστ' ἔτι.

---

573 Exit Sostratus   574 Ex Cnemonis aedibus in scaenam vociferans
currit Simica

---

574 Choerobosc. in Theodos. i. 176, 41 Hilgard ὁ δυστυχὴς ὦ δυστυχής,
ὡς παρὰ Μενάνδρῳ . . . ἐν Δυσκόλῳ ὦ δυστυχής· τί οὐ καθεύδεις; (= fr. 124
Koerte). Cf. Misumen. fr. 9 τί οὐ καθεύδεις; Aut Dyscolum pro Misu-
meno perperam scriptum esse aut post secundum ὦ δυστυχής verba ⟨καὶ
εν Μισουμένῳ· ὦ δυστυχής⟩ omissa esse vidit Barigazzi

---

568 ιδειν τιν' Π: τιν' deleto ⟨τὰ⟩ inseruerunt Maas, Thierfelder (cf. Peric.
272)   577 βουλομένη plerique: βουλομενου Π   579 ἐνῆψα: supra ε
scriptum esse a censet Turner: ego dubito   581 post ὀρθῶς duplex
punctum non habet Π   582 τὸν κάδον Ll.-J.: του καδου Π

(Σιμ.)   ὁ δ' ἀπὸ τύχης κόπρον τιν' ἔνδον κειμένην
     μέλλων μεταφέρειν περιτρέχων ταύτην πάλαι   585
     ζητεῖ βοᾷ τε.

(Γε.)   καὶ ψοφεῖ γε τὴν θύραν.
     φεῦγ', ὦ πονηρά, φεῦγ'—ἀποκτενεῖ σε—γραῦ·
     μᾶλλον δ' ἀμύνου.

Κν.   ποῦ 'στιν ἡ τοιχωρύχος;

(Σιμ.) ἄκουσα, δέσποτ', ἐνέβαλον.

(Κν.)   βάδιζε δὴ
     εἴσω.   590

(Σιμ.)   τί πο⟨ι⟩εῖν δ', εἰπέ μοι, μέλλεις;

(Κν.)   ἐγώ;
     δήσας καθιμήσω σε.

(Σιμ.)   μὴ δῆτ', ὦ τάλαν.

(Κν.)   ταὐτῷ γε τούτῳ σχοινίῳ.

(Γε.)   νὴ τοὺς θεοὺς
     κράτιστον, εἴπερ ἐστὶ παντελῶς σαπρόν.

(Σιμ.) τὸν Δᾶον ἐκ τῶν γειτόνων ἐγὼ [καλ]ῶ.

(Κν.)   Δᾶον καλεῖς, ἀνόσι', ἀνῃρηκυιά [με;   595
     οὐ σοὶ λέγω; θᾶττον βάδιζ' εἴσω [∪ –
     ἐγὼ τάλας τῆς νῦν ἐρημίας [∪ –
     ὡς οὐδὲ εἷς καταβήσομ' εἰ[∪ ⏖ ∪ –
     εἶτ' ἔστιν ἄλλ';

588 Simicam sequitur Cnemo furibundus   596 Intrat Cnemonis aedes
Simica

584 ὁ δ' plerique: οιδ' Π   585 μέλλων ed. pr.: μελλοντων Π
586 verba καὶ . . . θύραν Getae dedit Barrett: notam Γετας ante v. 587
habet Π   591 post τάλαν utrum duplex punctum habeat Π necne incer-
tum est   592–3 νὴ . . . σαπρόν Getae dedit Ll.-J.: Getae dederat
vv. 592–3 Webster, v. 593 Zuntz   595 ἀνῃρηκυιά ed. pr.: ανηρει-
κυια Π [με Barber   596 fort. [σύ, γραῦ.   597 τῆς νῦν ἐρημίας Shipp:
της ερημιας της νυν[Π: ἐρημίας τῆς νῦν plerique   fort. [ὅμως Mette
598 εἶ[τε vel εἶτ': sed fort. praestat, ex. gr., εἰ[ς τὸ φρέαρ· τί γὰρ
(Handley), quo accepto in v. 599 ἔνεστιν (Barrett) vel ἔτ' ἔστιν (Handley)
legas

(Γε.)   ἡμεῖς ποριοῦ[μεν ‿‿ ∪ –
καὶ σχοινίον.   600

(Κν.)   κακὸν κάκ[ιστά σ' οἱ θεοὶ
ἅπαντες ἀπολέσειαν εἴ τί μ[οι δίδως.

(Γε.)   καὶ μάλα δικ[αίως. εἰσ]πεπήδηκεν πάλιν.
ὦ τρισκακοδα[ίμων οὗ]τος· οἷον ζῇ βίον.
τοῦτ' ἐστὶν εἰλικρ[ινῶς] γεωργὸς Ἀττικός·
πέτραις μαχόμ[εν]ος θύμα φερούσαις καὶ σφάκον 605
ὀδύνας ἐπισπᾶ[τ', ο]ὐδὲν ἀγαθὸν λαμβάνων.
ἀλλ' ὁ τρόφιμος [γ]ὰρ οὑτοσὶ προσέρχεται
ἄγων μεθ' α[ὑτ]οῦ τοὺς ἐπικλήτους. ἐργάται
ἐκ τοῦ τόπου τ[ιν]ές εἰσιν· ὦ τῆς ἀτοπίας.
οὗτος τί τούτους δεῦρ' ἄγει νῦν; ἢ πόθεν   610
⟨γε⟩γονὼς συνήθης;

Σω.   οὐκ ἂν ἐπιτρέψαιμί σοι
ἄλλως ποῆσαι· πάντ' ἔχομεν.

(Γε.)   ὦ Ἡράκλεις.

(Σω.)   τουτὶ δ' ἀπαρνεῖται τίς ἀνθρώπων ὅλως,
ἐλθεῖν ἐπ' ἄριστον συνήθους τεθυκότος;
εἰμὶ γάρ, ἀκριβῶς ἴσθι, σοι πάλαι φίλος,   615
πρὶν ἰδεῖν. λαβὼν ταῦτ' ⟨οἴκ⟩αδ' εἰσένεγκε σύ,

601 Redit in aedes suas Cnemo   611 Scaenam intrat Sostratus
cum Gorgia et Davo ligones portantibus   616–17 Davum adloquitur
Sostratus

---

599 ποριοῦ[μεν Lond., Shipp (πορίου[μεθ' ed. pr.)   fort. ἁρπάγην
(plerique)   600 κάκ[ιστά σ' οἱ θεοὶ Page (κακ[ῶς σέ γ' οἱ θεοῖ ed. pr.)
601 δίδως ed. pr.: φέρεις Maas   602 verba καὶ μάλα δικαίως Getae
dederunt plerique: nota paragraphum sub v. 601   εἰσ]πεπήδηκεν plerique
603 ὦ: ὁ Sandbach (nullo puncto post πάλιν, 602, posito)   605 σφάκον
ed. pr.: ϲκαφō Π   606 επιϲπα[τ' Π, ut opinor: επιϲτα[τ' (cum τ cursive
scripto) in Π legit Turner. Quicquid in Π scriptum fuerit, Menandrum
ἐπισπᾶτ' scripsisse pro certo habeo   612 verba ὦ Ἡράκλεις Getae
dedit Ritchie   613 τίς ed. pr.: τιϲ Π   616 ⟨οἴκ⟩αδ' Ll.-J. σύ
ed. pr.: δε cυ Π

ΜΕΝΑΝΔΡΟΥ

Γο.

εἶθ' ἧκε.

μηδαμῶς, μόνην τὴν μητέρα
οἴκοι καταλείπων. ἀλλ' ἐκείνης ἐπιμελοῦ
ὧν ἂν δέηται· ταχὺ δὲ κἀγὼ παρέσομαι.

ΧΟΡΟΥ

ACTVS IV

Σιμ.   τίς ἂν βοηθήσειεν; ὦ τάλαιν' ἐγώ.   620
        τίς ἂν βοηθήσειεν;
Σικ.   Ἡράκλεις ἄναξ.
        ἐάσαθ' ἡμᾶς, πρὸς θεῶν καὶ δαιμόνων,
        σπονδὰς ποῆσαι. λοιδορεῖσθε, τύπτετε,
        οἰμώζετ'. ὦ τῆς οἰκίας τῆς ἐκτόπου.
(Σιμ.) ὁ δεσπότης ἐν τῷ φρέατι.   625
Σικ.   πῶς;
(Σιμ.)   ὅπως;
        ἵνα τὴν δίκελλαν ἐξέλοι καὶ τὸν κάδον
        κατέβαινε κᾆτ' ὤλισθ' ἄνωθεν, ὥστε καὶ
        πέπτωκεν.
(Σικ.)   οὐ γὰρ ὁ χαλεπὸς γέρων σφόδρα
        οὗτος; καλά γ' ἐπόησε, νὴ τὸν Οὐρανόν.
        ὦ φιλτάτη γραῦ, νῦν σὸν ἔργον ἐστί—   630
(Σιμ.)   πῶς;

619 Exeunt in aedes suas Gorgia cum Davo, in sacellum Sostratus
620 Currit ex aedibus Cnemonis Simica vociferans

---

618 fort. καταλιπών.   624 post ἐκτόπου duplex punctum omissum
est in Π   627 κᾆτ' ὤλισθ' ed. pr.: κατωλισθ' Π: fort. κἀπώλισθ'
628 сφοδραῖ Π (ῖ fortasse ex duplici puncto corruptum est, cf. ad v.
633): notam interrogationis post σφόδρα posuerunt Kassel, Thierfelder
629 notam interrogationis post οὗτος posuit Shipp: post γέρων (v. 628)
Sandbach

(Σικ.) ὅλμον τιν' ἢ λίθον τιν' ἢ τοιοῦτό τι
ἄνωθεν ἔνσεισον λαβοῦσα.

(Σιμ.) φίλτατε,
κατάβα.

(Σικ.) Πόσ⟨ε⟩ιδον, ἵνα τὸ τοῦ λόγου πάθω,
ἐν τῷ φρέατι κυνὶ μάχωμαι; μηδαμῶς.

(Σιμ.) ὦ Γοργία, ποῦ γῆς ποτ' εἶ;   635

(Γο.)   ποῦ γῆς ἐγώ;
τί ἔστι, Σιμίκη;

(Σιμ.)   τί γάρ; πάλιν λέγω,
ὁ δεσπότης ἐν τῷ φρέατι.

Γο.   Σώστρατε,
ἔξελθε δεῦρ'. ἡγοῦ, βάδιζ' εἴσω ταχύ.

Σικ. εἰσὶν θεοί, νὴ τὸν Διόνυσον· οὐ δίδως
λεβήτιον θύουσιν, ἱερόσυλε σύ,   640
ἀλλὰ φθονεῖς; ἐκπῖθι τὸ φρέαρ εἰσπεσών,
ἵ]να μηδ' ὕδατος ἔχῃς μεταδοῦναι μηδενί.
νυ]νὶ μὲν αἱ Νύμφαι τετιμωρημέναι
εἴσ' α]ὐτὸν ὑπὲρ ἐμοῦ δικαίως. οὐδὲ εἷς
μά]γειρον ἀδικήσας ἀθῷος διέφυγεν.   645
ἱεροπρεπής πώς ἐστιν ἡμῶν ἡ τέχνη·
.....]ς τραπεζοποιὸν ὅτι βούλει πόει.

635 Prodit ex aedibus suis Gorgia   638 Prodit e sacello Sostratus.
Simica iussis Gorgiae (638) oboediens currit in aedes Cnemonis; statim
sequuntur Gorgia et Sostratus

634 Cf. Zenob. iii. 45 (i. 68 Leutsch–Schneidewin), Greg. Cypr. (cod.
Mosq.) iii. 16 (ii. 111 ibid.) cum annotationibus   644–6 Verba οὐδὲ εἷς
... ἡ τέχνη cit. Athenaeus ix. 383 F (= fr. 118 Koerte)

633 καταβαι Π: cf. ad v. 628   635 γῆς ed. pr.: τις Π   ποῦ γῆς ἐγώ;
ed. pr.: που ποτ' ειμι γης εγω Π   638 verba ἡγοῦ ... ταχύ Gorgiae con-
tinuant Kassel, Sydn.: duplex punctum post δεῦρ' habet Π   639 νὴ
Ll.-J.: μα Π: μὰ τὸν Διόνυσον cum sequentibus verbis coniungit Fraenkel.
Vid. 151, 718   641 εἰσπεσών Arnott: εκπεσων Π: ἐμπεσών ed. pr.
645 ἀθῷος Athen.: αθωιως Π   647 ἀδεῶ]ς ed. pr.: alii alia

..... ἆ]ρα μὴ τέθνηκε; πάπαν φίλτατον
...]ρσ̣' ἀποιμώζει τις. οὐδὲν τοῦτό γε   649

[hic summo folio abscisso perisse videntur versus
fere quattuor]

δῆλον †οθικαθ[
οὕτως ἀνιμησ[655
τὴν ὄψιν αὐτοῦ τιν[
οἴεσθ' ἔσεσθαι, πρὸς θεῶν, βεβ[αμμ]ένου,
τρέμοντος; ἀστείαν ἐγὼ μέν. ἡδέως
ἴδοιμ' ἄν, ἄνδρες, νὴ τὸν Ἀπόλλω τουτονί.
ὑμεῖς δ' ὑπὲρ τούτων, γυναῖκες, σπένδετε.   660
εὔχεσθε τὸν γέροντα σωθῆναι κακῶς,
ἀνάπηρον ὄντα, χωλόν· οὕτω γίνεται
ἀλυπότατος γὰρ τῷδε γείτων τ[ῷ] θεῷ
καὶ τοῖς ἀεὶ θύουσιν. ἐπιμελὲς δέ μοι
τοῦτ' ἐστίν, ἄν τις ἆρα μισθώσητ' ἐμέ.   665

(Σω.)   ἄνδρες, μὰ τὴν Δήμητρα, μὰ τὸν Ἀσκληπιόν,
μὰ τοὺς θεούς, οὐπώποτ' ἐν τῷμῷ βίῳ
εὐκαιρότερον ἄνθρωπον ἀποπε⟨π⟩νιγμένον
ἑόρακα μικροῦ· τῆς γλυκ⟨ε⟩ίας διατριβῆς.
ὁ Γοργίας γάρ, ὡς τάχιστ' εἰσήλθομεν,   670
εὐθὺς κατεπήδησ' εἰς τὸ φρέαρ, ἐγὼ δὲ καὶ
ἡ παῖς ἄνωθεν οὐδὲν ἐποοῦμεν· τί γὰρ
ἐμέλλομεν; πλὴν ἡ μὲν αὐτῆς τὰς τρίχας
ἔτιλλ', ἔκλα', ἔτυπτε τὸ στῆθος σφόδρα.
ἐγὼ δ' ὁ χρυσοῦς, ὡσπερεί, νὴ τοὺς θεούς,   675
τροφὸς παρεστώς, ἐδεόμην γε μὴ ποεῖν

665 Exit in sacellum Sico   666 Prodit ex aedibus Cnemonis Sostratus

648 quis loquatur incertum est   fort. ἀλλ' ἆ]ρα   649 κλά]ουσ'
Roberts: fort. καλ]οῦσ'   654 ὅτι καθ[ed. pr.   656 τιν[dispexit Barrett
657 βεβ[αμμ]ένου Maas: βεβ[ρεγμ]ένου Barrett (qui βεβ[primus dispexerat)
663 ἀλυπότατος plerique: αλλ' υποτατος Π   τ[ῷ] θεῷ dispexit Roberts
664 τοῖς: τους Π

ταῦθ', ἱκέτευον ἐμβλέπων ἀγάλματι
οὐ τῷ τυχόντι. το⟨ῦ⟩ δὲ πεπληγμένου κάτω
ἔμελεν ἔλαττον ἤ τινός μοι, πλὴν ἀεὶ
ἕλκειν ἐκεῖνον, τοῦτ' ἐνώχλ⟨ε⟩ι μοι σφόδρα·   680
μικροῦ γε νὴ Δί' αὐτὸν ἐξαπολώλεκα.
τὸ σχοινίον γάρ, ἐμβλέπων τῇ παρθένῳ,
ἀφῆκ' ἴσω⟨ς⟩ τρίς. ἀλλ' ὁ Γοργίας Ἄτλας
ἦν οὐχ ὁ τυχών· ἀντεῖχε καὶ μόλις ποτὲ
ἀνενήνοχ' αὐτόν. ὡς ⟨δ'⟩ ἐκεῖνος ἐξέβη,   685
δεῦρ' ἐξελήλυθ'. οὐ γὰρ ἐδυνάμην ἔ[τ]ι
κατέχειν ἐμαυτόν, ἀλλὰ μικροῦ [τὴν κόρην
ἐφίλουν προσιών· οὕτω σφόδρ' ἐ[νθεαστικῶς
ἐρῶ. παρασκευάζομαι δὴ—τὴν θ[ύραν
ψοφοῦσιν. ὦ Ζεῦ σῶτερ, ἐκτόπου θ[έας.   690

Γο.   βούλει τι, Κνήμων; εἰπέ μοι.
(Κν.)   τί [σοι λέγω;
        φαύλως ἔχω.
(Γο.)   θάρρει.
(Κν.)   τεθάρ[ρηκ'· οὐκέτι
ὑμῖν ἐνοχλήσει τὸν ἐπίλοιπον γὰ[ρ χρόνον
Κνήμων.

691 Prodeunt ex aedibus Cnemonis Gorgia et soror eius patrem in
cathedra sedentem provolventes (cf. Ar. Ach. 407 et seq., Thesm. 95–96,
264, et vide quid disputaverit A. W. Pickard-Cambridge, *The Theatre of
Dionysus at Athens*, pp. 101 et seq.)

691 βούλει . . . μοι sine nomine fabulae cit. Choerobosc. in Theodos. ii.
330, 6 Hilgard (= fr. 677 Koerte)

678 πεπληγμένου suspectum: πεπνιγμένου Page: sed cf. Phot. s.v.
πέπληκται (πέπλεκται codd.: corr. Dobree)· ἥττηται. Μένανδρος (= fr. 898
Koerte)   679 ἔμελεν: εμελλον Π   τινός def. Kassel, Dem. 21, 66
citans: τριχός Fraenkel   681 ἐξαπολώλεκα Ll.-J., Morel: ειсαπολωλεκα Π
(fort. récte)   685 ⟨δ'⟩ Page   688 ἐ[νθεαστικῶς Quincey, Turner:
ἐ[μμανῶς ἐγὼ Fraenkel (coll. Misumen. fr. 5)   691 τί [σοι λέγω; Maas:
alii alia   692 τεθάρ[ρηκ' Barrett (coll. Eur. Hipp. 1456–7, etc.)   οὐκέτι
ed. pr.   693 γὰ[ρ Mette, Sandbach

41

(*Γο.*)   τοιοῦτόν ἐστ᾽ ἐρημία κ[ακόν.

ὁρᾷς; ἀκαρὴς νῦν παραπόλωλας ἀ͵ρτίως.   695

τηρούμενον δὴ τηλικοῦτον τῷ βίῳ

ἤδη καταζῆν δεῖ.

(*Κν.*)   χαλεπῶς μέν, οἶδ᾽ ὅτι,

ἔχω. κάλεσον δέ, Γοργία, τὴν μητέρα.

(*Γο.*) ὡς ἔνι μάλιστα. τὰ κακὰ παιδεύειν μόνα

ἐπίσταθ᾽ ἡμᾶς, ὡς ἔοικε.   700

(*Κν.*)   θυγάτριον,

βούλει μ᾽ ἀναστῆσαι λαβοῦσα;

Σω.   μακάριε

ἄνθρωπε.

(*Κν.*)   τί παρέστηκας ἐνταῦθ᾽ α..[

[hic perisse videntur versus fere quinque]

      ]εσοις ἐβουλόμην

     Μυρ]ρίνη καὶ Γοργία,

ε.[   ]ον προειλόμην   710

οὐχὶ σω.[....]....[.]. οὐδ᾽ ἂν εἷς δύναιτό με

τοῦτο με[τα]πεῖσαί τις ὑμῶν, ἀλλὰ συγχωρήσετε.

ἓν δ᾽ ἴσω[ς] ἥμαρτον, ὅτι ⟨γε⟩ τῶν ἁπάντων ᾤ⟨ό⟩μην

αὐτὸς αὐ[τά]ρκης τις εἶναι καὶ δεήσε⟨σ⟩θ᾽ οὐδενός.

νῦν δ᾽ [ἰ]δὼν ὀξεῖαν οὖσαν ἄσκοπόν τε τοῦ βίου 715

τὴν τε[λ]ευτήν, εὗρον οὐκ εὖ ⟨τοῦ⟩το γινώσκων τότε.

δεῖ γὰ[ρ εἶ]ναι κα⟨ὶ⟩ παρεῖναι τὸν ἐπικουρήσοντ᾽ ἀεί.

699 τὰ κακά ... 700 ἔοικε: secum loquitur Gorgia 700 Exit in aedes
suas Gorgia, mox (inter vv. 702 et 708, opinor) cum matre rediturus

---

695 Sine nomine fabulae cit. Etym. Genuin. p. 18 Miller=Etym. Magn.
p. 45, 23 Gaisford (= fr. 686 a Koerte)

---

694 εστιν Π 695 νῦν om. Etym. Magn. 699–700 ὡς ἔνι ... ἔοικε
Cnemoni continuant ed. pr.: sed nota duplex punctum post μητέρα (698) et
paragraphum sub v. 698 700 post ἔοικε nullum duplex punctum habet Π
702 α..[Π (α, tum c vel θ vel ε, deinde χ vel υ: ἀςψ́[νετε? 710 post ε vel ι
vel τ vel ψ]ον vel]ων 711 οὐχὶ σωθ[ῆναι ed. pr., 713 ⟨γε⟩ plerique
715 ἄσκοπόν ed. pr.: ασκαπτον Π 717 χạ[ρ εἶ]ναι κα⟨ὶ⟩ plerique

ἀλλὰ μὰ τὸν Ἥφαιστον—οὕτω σφόδρα ⟨δι⟩εφθάρμην
ἐγὼ
τοὺς βίους ὁρῶν ἑκάστους τοὺς λογισμούς ⟨θ'⟩ ὃν τρόπον
πρὸς τὸ κερδαίνειν ἔχουσιν—οὐδέν' εὔνουν ᾠόμην 720
ἕτερον ἑτέρῳ τῶν ἁπάντων. ἂν γενέσθαι· τοῦτο δὴ
ἐμποδὼν ἦν μοι. μόλις δὲ πεῖραν εἰς δέδωκε νῦν
Γοργίας, ἔργον ποήσας ἀνδρὸς εὐγενεστάτου.
τὸν γὰρ οὐκ ἐῶνθ'⟨ἑ⟩αυτὸν προσιέναι τῆ⟨μῆ⟩ θύρᾳ,
οὐ βοηθήσανθ'⟨ἑ⟩αυτῷ πώποτ' εἰς οὐδὲν μέρος,   725
οὐ προσειπόντ', οὐ λαλήσανθ' ἡδέως, σέσωχ' ὅμως.
εἶπ' ἂν ἄλλος, καὶ δικαίως· "οὐκ ἐᾷς με προσιέναι,
οὐ προσέρχομ'· οὐδὲν ἡμῖν γέγονας αὐτὸς χρήσ⟨ι⟩μος,
οὐδ' ἐγώ σοι νῦν." τί δ' ἐστί, μειράκιον; ἐάν ⟨τ'⟩ ἐγὼ
ἀποθάνω νῦν—οἴομαι δέ, καὶ κακῶς ἴσως ἔχω—   730
ἄν τε περι⟨σωθ⟩ῶ, ποοῦμαί σ' ὑόν· ἅ γ' ἔχων τυγχάνω,
πάντα σαυτοῦ νόμισον εἶναι. τήνδε σοι παρεγγυῶ,
ἄνδρα ⟨δ'⟩ αὐτῇ πόρισον· εἰ γὰρ καὶ σφόδρ' ὑγιαίνοιμ'
ἐγώ,
αὐτὸς οὐ δυνήσομ' εὑρεῖν· οὐ γὰρ ἀρέσει μοί ποτε 734
οὐδ⟨ὲ⟩ εἷς. ἀλλ' ἐμὲ μὲν ⟨οὕτω⟩ ζῆν ἐᾶθ' ὡς βούλομαι·
τἄλλα πρᾶττ' αὐτὸς παραλαβών—νοῦν ἔχεις—σὺν τοῖς
θεοῖς.
κηδεμὼν εἶ τῆς ἀδελφῆς· εἰκότως τοῦ κτήματος
ἐπιδίδου ⟨σὺ⟩ προῖκα, τοὐμοῦ διαμετρήσας ⟨θ⟩ἥμισυ,
τ[ό] θ' ἕτερον λαβὼν διοίκει κἀμὲ καὶ τὴν μητέρα.

---

722 εἰς δέδωκε plerique: ειϲδεδωκε Π   724 ἐῶνθ' ⟨ἑ⟩αυτὸν Fraenkel:
εωντ' αυτον Π   τῆ[μῆ] Maas   725 βοηθήσανθ' ⟨ἑ⟩αυτῷ Fraenkel: βοη-
θηϲαντ' αυτωι Π   727 εἶπ' ἂν ἄλλος Ll.-J.: οπεραναλλωϲ Π: ὅπερ ἂν
ἄλλως ed. pr., quo retento versum excidisse post 726 coniciunt Kassel et
Sandbach: ex. gr. ⟨κοὐκ ἀπηρνήθη βοηθεῖν, οὐδ' ἐλεξεν οὑτοσὶ⟩ | ὅπερ ἂν ἄλλος
finxit Sandbach   729 δ' post μειράκιον del. plerique   ἐάν ⟨τ'⟩ plerique
730 ἴϲωϲ Π²: οιον Π¹: fort. οἶδ' ὡς (Kassel)   731 περι⟨σωθ⟩ῶ Kassel
ποοῦμαι ed. pr.: τουμαι Π   ἅ γ' ἔχων Page: ατ' εχεον Π: ἅ τ' ἔχων ed. pr.
732 ϲοι ed. pr.: ϲυ Π   733 ὑγιαίνοιμ' Kraus, Lond: υπαινειν Π   735 ⟨οὕτω⟩
ed. pr.: ⟨, ἦν ζῶ,⟩ Handley   738 ⟨σὺ⟩ Ll.-J.   ⟨θ⟩ἥμισυ Maas: ημιϲυ Π

ἀλλὰ κα]τάκλινόν με, θύγατερ. τῶν δ' ἀναγκαίων
λέγειν   740
πλείον'] οὐκ ἀνδρὸς νομίζω, πλὴν ἐκεῖνο· ⟨πρό⟩σιθι,
παῖ.
ὑπὲρ ἐ]μοῦ γὰρ βούλομ' εἰπεῖν ὀλίγα σοι καὶ τοῦ
τρόπου.
εἰ τοιοῦτ]οι πάντες ἦσαν, οὔτε τὰ δικαστήρια
ἦν ἄν, ο]ὔθ' αὐτο⟨ὺ⟩ς ἀπῆγον εἰς τὰ δεσμωτήρια,
οὔτε π]όλεμος ἦν, ἔχων δ' ἂν μέτρι' ἕκαστος ἠγάπα. 745
οὐ]κ ἴσως ταῦτ' ἔστ' ἀρεστά· μᾶλλον οὕτω πράττετε.
ἐκποδὼν ὑμῖν ⟨ὁ⟩ χαλεπὸς δύσκολός τ' ἔσται γέρων.

(Γο.)   ἀλλὰ δέχομαι ταῦτα πάντα. δεῖ δὲ μετὰ σοῦ νυμφίον
ὡς τάχισθ' εὑρεῖν ⟨τιν'⟩ ἡμᾶς τῇ κόρῃ, σοὶ συνδοκοῦν.

Κν.   οὗτος, εἴρηχ' ὅσ' ἐφρόνουν σοι· μηνόχλει, πρὸς τῶν
θεῶν.   750

Γο.   βούλεται γὰρ ἐντυχεῖν σοι—

Κν.   μηδαμῶς, πρὸς τῶν θεῶν.

Γο.   τὴν κόρην αἰτῶν—

(Κν.)   τίς;

(Γο.)   ⟨ὅστις;⟩

(Κν.)   οὐδ⟨ὲ⟩ ἓν ἔτι μοι μέλει.

(Γο.)   ὃ ⟨σε⟩ συνεκσώσας.

(Κν.)   ὁ ποῖος;

(Γο.)   οὑτοσί· πρόελθε σύ.

(Κν.)   ἐπικέκαυται μέν· γεωργός ἐστι;

(Γο.)   καὶ μάλ', ὦ πάτερ.

---

740 ἀλλὰ Fraenkel: νῦν δὲ ed. pr.   741 πλείον'] Barrett, Kraus:
πλεῖον] ed. pr.   ⟨πρό⟩σιθι Shipp: ἐκεῖνό γ' ἴσθι ed. pr.   742 ὑπὲρ
ἐ]μοῦ Lond. ap. Sydn.   ὀλίγα σοι ed. pr.: σοι ολιγα Π   743 εἰ τοιοῦτ]οι
Sandbach, Shipp   744 ο]ὔθ' αὐτούς ed. pr.:]υτ' αυτος Π   745 π]όλε-
μος:]ολεμος [[δ]] Π   746 οὐ]κ Ll.-J. (]κ dispexit Roberts): ἀλ]λ' (contra
vestigia) ed. pr.   752 (Κν.) τίς; Barrett: τις (nullo duplici puncto post
αἰτῶν posito) Π   ⟨(Γο.) ὅστις;⟩ Ll.-J.   753 post οὑτοσί duplex punctum
habet Π

44

ΔΥΣΚΟΛΟΣ

(Κν.)   οὐ τρυφῶν οὐδ' οἷος ἀργὸς περιπατεῖν τὴν ἡμέραν 755

      . . . .] . [755ᴬ

      . . . . . .] . . . ἑνὸς τα[λάντου

    προ]σδίδου πόει ⟨τε⟩ του[τ

    εἰσκ]υκλεῖτ' εἴσω με.

(Γο.)   καὶ δ[

    ἐπιμ]ελοῦ τούτου.

(?Σω.)   τὸ λο[ιπὸν

    τὴν] ἀδελφήν.   760

(?Γο.)   ἐπανε[   ]μα . [

οὐ[δ]ὲν ὁ πατὴρ ἀντερεῖ [μοι. τήνδε γ]οῦν ἔγωγέ σ[ο]ι

ἐγγυῶ, δίδωμι, πάντων [. . . . .]ν ἐναντίον

†ενεγκεινοσ† δίκαιόν ἐστι π . [. . .] . η, Σώστρατε.

οὐ πεπλασμένῳ γὰρ ἤθει πρὸς τὸ πρᾶγμ' ἐλήλυθ[ας,

ἀλλ' ἁπλῶς, καὶ πάντα πο⟨ι⟩εῖν ἠξίωσας τοῦ γάμου 765

ἕνεκα· τρυφερὸς ὢν δίκελλαν ἔλαβες, ἔσκαψας, πονε[ῖν

ἠθέλησας. ἐν δὲ τούτῳ τῷ μέρει μάλιστ' ἀνὴρ

δείκνυτ', ἐξισοῦν ἑαυτὸν ὅ⟨σ⟩τις ὑπομένει τινὶ

εὐπορῶν πένητι· καὶ γὰρ μεταβολὴν οὗτος τύχ[ης 769

ἐγκρατῶς οἴσει. δέδωκας πεῖραν ἱκανὴν τοῦ τρόπ[ου·

διαμένοις μόνον τοιοῦτος.

(Σω.)   πολὺ μὲν οὖν κρ⟨ε⟩ίττω[ν ἔτι.

ἀλλ' ἐπαινεῖν αὐτόν ἐστιν φορτικόν ⟨τι⟩ πρᾶγμ' ἴσως.

758 E scaena evolvitur Cnemo

755 utrum sub hoc versu paragraphus scripta sit necne ob scissuram incertum est   755ᴬ caudam litterae longioris (φ, ρ, υ, ι?) bracchium sinistrum τ (756) secantem dispexit Barrett   756 fort.].ςτ (εςτ = ἐσθ'?) τα[λάντου Barrett   757 supplevit et ⟨τε⟩ inseruit Barrett 758 εἰσκ]υκλεῖτ' plerique   καὶ δ[ή Barrett   759 duplex punctum post τούτου habet Π   τὸ λο[ιπὸν ed. pr.   760 duplex punctum post ἀδελφήν habet Π   761 (usque ad [μοι): Sostratum hic loqui coniecit Kassel 762 fort. [ὀμνύω]ν   763 πρ[vel πι[: fort. προῖκ' ἐνεγκεῖν ὡς δίκαιόν ἐστι 769 μεταβολὴν Page: μεταβολης Π: μεταβολὰς ed. pr.; sed πλ[quam τυχ[malit Roberts: an μεταβολῆς . . . πλ[άνην?   της ante τυχ[del. ed. pr. 771 ἔτι Bingen, Kassel: ἐγώ Kamerbeek, Lond.

εἰς καλὸν δ' ὁρῶ παρόντα τὸν πατέρα.

(Γο.)   Καλλιππίδ[ης
ἐστί·σου πατήρ;

(Σω.)   πάνυ μὲν οὖν.

(Γο.)   νὴ Δία, πλούσιός γ[' ἀνήρ,
⟨καὶ⟩ δικαίως ⟨γ', ὤν⟩ γεωργὸς ἄμαχος.   775

ΚΑΛΛΙΠΠΙΔΗΣ

                      ἀπολέ⟨λε⟩ιμ⟨μ⟩' ἴσως.
καταβεβρωκότε⟨ς γὰρ ἤ⟩δη τὸ πρόβατον φροῦδοι
    πάλαι
εἰσὶν εἰς ἀγρόν.

Γο.   Πόσειδον, ὀξυπείνως πως ἔχει.
αὐτίκ' αὐτῷ ταῦτ' ἐροῦμεν;

(Σω.)   πρῶτον ἀριστησάτω·
πρᾳ⟨ό⟩τερος ἔσται.

(Καλλ.)   τί τοῦτο, Σώστρατ'; ἠριστήκατε;

(Σω.) ἀλλὰ καὶ σοὶ παραλέλ⟨ε⟩ιπται· πάραγε.   780

(Καλλ.)   τοῦτο δὴ ποῶ.

Γο. εἰσιὼν αὐτῷ λάλει ⟨νῦν⟩, εἴ τι βούλει, τῷ πατρὶ
κατὰ μόνας.

(Σω.)   ἔνδον περιμενεῖς; οὐ γάρ;

(Γο.)   οὐκ ἐξέρχομ[αι
ἔνδοθεν.

(Σω.)   μικρὸν διαλιπὼν παρακαλῶ τοίνυν ⟨σ'⟩ ἐγώ.

ΧΟΡΟΥ

780 Exit in sacellum Callippides   783 Exeunt in sacellum Sostratus, in
Cnemonis aedes Gorgia

---

773 δ' ed. pr.: τ' Π   774 γ[' ἀνήρ] plerique   775 ⟨καὶ⟩ δικαίως
⟨γ', ὤν⟩ ed. pr.: δικαιος γ. α. Π: ⟨καὶ⟩ δίκαιος ⟨καὶ⟩ γ. ἄ. plerique   ἀπο-
λέ⟨λε⟩ιμ⟨μ⟩' plerique: απολειμ' Π   778 ταῦτ': πάντ' Maas   779 post
ἠριστήκατε nullum duplex punctum habet Π   780 ποῶ ed. pr.: ποησω Π
781 ⟨νῦν⟩ plerique   782 ἐξέρχομ[αι ed. pr.: εξερχει[aut (minus
probabiliter) εξερχετ[Π

ΔΥΣΚΟΛΟΣ

ACTVS V

Σω. οὐχ ὡς ἐβουλόμην ἅπαντά μοι, πάτερ,
     οὐδ' ὡς προσεδόκων γίνεται παρὰ σοῦ.   785
(Καλλ.)   τί δέ;
     οὐ συγκεχώρηχ'; ἧς ἐρᾷς σε λαμβάνειν
     καὶ βούλομαι καί φημι δεῖν.
(Σω.)   οὔ μοι δοκεῖς.
(Καλλ.) νὴ τοὺς θεοὺς ἔγωγε, γινώσκων ὅ[τι
     νέῳ γάμος βέβαιος οὗτος γίνετ[αι,
     ἐὰν δι' ἔρωτα τοῦτο συμπ⟨ε⟩ισθῇ πονε[ῖν.   790
(Σω.) ἔπειτ' ἐγὼ μὲν τὴν ἀδελφὴν λήψ[ομαι
     τὴν τοῦ νεανίσκου, νομίζων ἄ[ξιον
     ἡμῶν ἐκεῖνον· πῶς δὲ τούτῳ νῦ[ν σὺ φῂς
     οὐκ ἀντιδώσειν τὴν ἐμήν;
(Καλλ.)   αἰσχρὸν λέγει[ς.
     νύμφην γὰρ ἅμα καὶ νυμφίον πτωχοὺς λαβεῖν   795
     οὐ βούλομ', ἱκανὸν δ' ἐστὶν ἡμῖν θάτερον.
(Σω.) περὶ χρημάτων λαλεῖς, ἀβεβαίου πράγματος.
     εἰ μὲν γὰρ οἶσθα ταῦτα παραμενοῦντά σοι
     εἰς πάντα τὸν χρόνον, φύλαττε, μηδενὶ
     ἄλλῳ μεταδιδούς, αὐτὸς ὢν δὲ κύριος.   800
     εἰ μὴ δὲ σαυτοῦ, τῆς τύχης δὲ πάντ' ἔχεις,
     τί ἂν φθονοίης, ὦ πάτερ, τούτων τινί;
     αὕτη γὰρ ἄλλῳ, τυχὸν ἀναξίῳ τινί,

784 Prodeunt e sacello Callippides et Sostratus

797–812 περὶ χρημάτων . . . ἔχεις cit. Stobaeus, Ecl. iii. 16, 14
(Wachsmuth–Hense iii p. 483) (= fr. 116 Koerte)

785 προσεδοκων Π²: -κουν Π¹   788 ⟦εγι⟧ (suprascripto τουτο)
post εγωγ' Π   ο[τι plerique: ο[vel α[Π: ἔγωγε τοῦτ' ἔγνων ἀ[εί· Page
790 πονε[ῖν plerique: πονε[(ν in rasura) Π: ποε[ῖν ed. pr.   793 τούτῳ
ed. pr.: τουτο Π   798 παραμ. Stob.: περιμ. Π   800 ἄλλῳ Stob.:
τουτου Π   αὐτὸς ὢν δὲ κ. Stob.: ὢν δε μη cυ κυριος | ει μηδε Π   801 εἰ
δὲ μὴ σεαυτοῦ Stob. (quod correxerat Meineke)   802 τί ἂν Stob.: μητε
Π   803 αὕτη Π: αὐτὴ Stob. (correxerat Blaydes)

παρελομένη σοῦ πάν⌊τα προσθήσει⌋ πάλιν.

διόπερ ἔγωγέ φημι δεῖν⌋ ὅσον χρόνο⌊ν   805
εἰ κύριος, χρῆσθαί σε γ⌊εννναίως, πάτερ,
αὐτόν, ἐπικουρεῖν⌋ πᾶσιν, εὐπόρους ⌊ποεῖν
ὡ⌊ς ἂν δύν⌊ῃ πλείστου⌋ς διὰ σαυτοῦ. τοῦτο γ⌊ὰρ
ἀθάνατόν ⌊ἐστι,⌋ κἄν ποτε πταίσας τύχῃς,
ἐκεῖθεν ἔσται τ⌊αὐτὸ το⌊ῦτό σοι πάλιν.   810
πολλῷ δὲ κρεῖττόν ἐστιν ἐμφανὴς φίλος
ἢ πλοῦτος ἀφανής, ὃν σὺ κατορύξας ἔχεις.

Καλλ.   οἶσθ' οἷός εἰμι, Σώστραθ'· ἃ συνελεξάμην
οὐ συγκατορύξω ταῦτ' ἐμαυτῷ· πῶς γὰρ ἄν;
σὰ δ' ἐστί. βούλει περιποήσασθαί τινα   815
φίλον δοκιμάσας; πρᾶττε τοῦτ' ἀγαθῇ τύχῃ.
τί μοι λέγεις γνώμας; †πόριζε βαδίζε†
δίδου, μεταδίδου. συμπέπεισμαι πάντα σοι.

(Σω.)   ἑκών;
(Καλλ.)   ἑκών, εὖ ἴσθι, μηδὲν τοῦτό σε
ταραττέτω.   820

(Σω.)   τὸν Γοργίαν τοίνυν καλῶ.
Γο.   ἐπακήκο' ὑμῶν ἐξιὼν πρὸς τῇ θύρᾳ
ἅπαντας οὖ⟨ς⟩ εἰρήκατ' ἐξ ἀρχῆς λόγους.
τί οὖν; ἐγώ σ', ⟨ὦ Σ⟩ώστρατ', εἶναι μὲν φίλον
ὑπολαμβάνω σπουδαῖον ἀγαπῶ τ' ἐκτόπως.

821 Prodit ex Cnemonis aedibus in scaenam Gorgia

804 παρελομένη Stob.: αφελομενη Π   805 ἔγωγέ.Tyrwhitt: ἐγώ
σε Stob.   807 αὐτόν Stob.: αὐτοῖς Kock   809 πταίσας τύχῃς·
Stob.: πτοιμτυχη[Π   811 πολλω Π: πολλῶν Stob. (correxerat Gesner)
κρεῖττόν Stob.: κρῐττων Π   813 εἰμι ed. pr.: εϲτι Π   814 ταῦτ' ed.
pr.: ταυταυτ' Π   817 ποριζε [[ποριζ]] βαδιζε Π: fort. βαδίσας πόριζε
δή vel βάδιζε καὶ πόει (cf. Epitr. 200, Sam. 316–17)   818 neque
duplex punctum post σοι neque paragraphum sub hoc versu habet Π
819 ἑκών. (Σω.) ἑκών; (Καλλ.) εὖ ἴσθι, κτλ. Page, Sandbach: nullum duplex
punctum post secundum ἑκών habet Π   823 τί οὖν; Sostrato dat
Thierfelder   ἐγώ σ', ⟨ὦ Σ⟩ώστρατ' Page: ἐγώ σ⟨ε, Σ⟩ώστρατ' ed. pr.

μείζω δ' ἐμαυτοῦ πράγματ' οὔτε βούλομαι   825
οὔτ' ἂν δυναίμην, μὰ Δία, βουληθεὶς φέρειν.
(Σω.)   οὐκ οἶδ᾽ ὅ τι λέγεις.
(Γο.)   τὴν ἀδελφὴν τὴν ἐμὴν
δίδωμί σοι γυναῖκα· τὴν δὲ σὴν λαβεῖν—
καλῶς ἔχει μοι.
(Σω.)   πῶς καλῶς;
(Γο.)   οὐχ ἡδύ μοι
εἶναι τρυφᾶν ἐν ἀλλοτρίοις πόνοις δοκεῖ,   830
συλλεξάμενον δ' αὐτόν.
(Σω.)   φλυαρεῖς, Γοργία.
οὐκ ἄξιον κρίνεις σεαυτὸν τοῦ γάμου;
(Γο.)   ἐμαυτὸν εἶναι κέκρικ' ἐκείνης ἄξιον,
λαβεῖν δὲ πολλὰ μίκρ' ἔχοντ' οὐκ ἄξιον.
Καλλ.   νὴ τὸν Δία τὸν μέγιστον, εὐγενῶς γέ πως   835
. . [. . . .]ος εἶ.
(Γο.)   πῶς;
(Καλλ.)   οὐκ ἔχων βούλει δοκεῖν
. . . . . .] ἐπειδὴ συμπεπεισμένον μ' ὁρᾷς
. . . .]ε τούτῳ μ' ἀναπέπ⟨ε⟩ικας διπλασίως
. . . . .]ων πένης ἀπόπληκτός θ' ἅμα
. . . . .]. ὑποδείκνυσιν εἰς σωτηρίαν;   840
. . . . . τ]ὸ λοιπόν ἐστιν ἡμῖν ἐγγυᾶν.
(Καλλ.)   ἀλλ' ἐγγυῶ παίδων ἐπ' ἀρότῳ γνησίων
τὴν θυγατέρ' ἤδη, μειράκιον, σοι, προῖκά τε
δίδωμ' ἐπ' αὐτῇ τρία τάλαντ'.
(Γο.)   ἐγὼ δέ γε
ἔχω τάλαντον προῖκα τῆς ἑτέρας.   845

830 τρυφᾶν ἐν plerique: τρυφαινειν Π   δοκεῖ plerique: δοκω Π
834 πολλὰ μίκρ' trsp. ed. pr.: μικρα πολλα Π   836–41 supplementa valde
incerta; alii alia   836 fort. ἀχ[ροικ]ος (Merkelbach)   οὐχ ἑκὼν Quincey
837 πείθεσθ'] Quincey   838 fort. αὐτῷ δ]ὲ (Post)   839 fort. ἀεὶ
δ' ἅμ'] ὢν πένης ⟨τις⟩   840 τίν' ἐλπί]δ' Barrett   841 fort. νικᾷς· τ[ὸ
ἐστιν ἡμῖν trsp. plerique: ημιν εστιν Π

49

(Καλλ.)   ἔχεις;
μήδ' αὖ σὺ λίαν.

(Γο.)   ἀλλ' ἔχω τό γε χωρίον.

(Καλλ.)   κέκτησ' ὅλον σύ, Γοργία. τὴν μητέρα
ἤδη σὺ δεῦρο τήν τ' ἀδελφὴν μετάγαγε
πρὸς τὰς γυναῖκας τὰς παρ' ἡμῖν.

(Γο.)   ἀλλὰ χρή.

(Σω.)   τὴν νύκτα [850
πάντες με. [το]ὺς. γάμους
ποήσομεν. κ[αὶ τὸν] γέροντα, [Γορ]γία,
κομίσατε δε[ῦ]ρ'. ἔξει τὰ δ[έον]τ' ἐνταῦθ' ἴσω[ς
μ]ᾶλλον παρ' ἡμῖν.

(Γο.)   οὐκ ἐθ[ελ]ήσει, Σώστρατε.

(Σω.)   σύμπεισον αὐτόν.   855

(Γο.)   ἂν δύνωμ[αι].

(Σω.)   δεῖ πότον
ἡμῶν γενέσθαι, παπία, νυνὶ [κ]αλόν,
καὶ τῶν γυναικῶν παννυχίδα.

(Καλλ.)   τοὐναντίον
πίοντ' ἐκεῖναι, παννυχιοῦμεν, οἶδ' ὅτι,
ἡμεῖς. παράγων δ' ὑμῖν ἑτοιμάσω τι τῶν
προὔργου.   860

Σω.   πόει τοῦτ'. οὐδενὸς χρὴ πράγματος

855 Exit in Cnemonis aedes Gorgia   860 Exit in sacellum Callippides

849 ἀλλὰ χρή: cf. Hesych. s.v. ἀλλὰ χρή (ἀλλ' ἄχρι codd.): ἔξεστιν ἀντὶ
τοῦ ἔστω· Μένανδρος (= fr. 820 Koerte)   860–3 οὐδενὸς ... ἅπαντα cit.
Stobaeus Ecl. iii. 29, 45–46 (Wachsmuth–Hense iii, p. 636) (= fr. 119
Koerte)

846 μηδ' αὖ: μὴ δῷς Arnott: μηδὲν Mervyn Jones   τό γε plerique: τοδε
Π post χωρίον nullum duplex punctum habet Π   850–1 sic ludunt
ed. pr.: τὴν νύκτα [ταύτην ἐνθάδ' ἑστιάσομεν | πάντες μέγ[οντες· αὔριον δὲ
το]ὺς γάμους   854 εθελησεις Π   854–5 verba Σώστρατε ... αὐτόν Cal-
lippidi dat Sandbach   860 χρὴ πράγματος Stob.: χρηματος Π

τὸν εὖ φρονοῦνθ' ὅλως ἀπογνῶναί ποτε.
ἁλωτὰ γίνετ' ἐπιμελείᾳ καὶ πόνῳ
ἅπαντ'· ἐγὼ τούτο⟨υ⟩ παράδειγμα νῦν φέρω.
ἐν ἡμέρᾳ μιᾷ κατείργασμαι γάμον
⟨ὃν⟩ οὐδ' ἂν εἷς ποτ' ᾤετ' ἀνθρώπων ὅλως.   865

Γο.   προάγε⟨τε⟩ δὴ θᾶττόν ποθ' ὑμεῖς.
Σω.   δεῦτε δή·
μῆτερ, δέχου ταύτας. ὁ Κνήμων δ' οὐδέπω;
(Γο.)   ὃς ἱκέτευέ μ' ἐξαγαγεῖν τὴν γραῦν ἔτι,
ἵν' ᾖ τελέως μόνος καθ' αὑτόν;
(Σω.)   ὦ τρόπου
ἀμάχου.   870
(Γο.)   τοιοῦτος.
(Σω.)   ἀλλὰ πολλὰ χαιρέτω.
ἡμεῖς δ' ἴωμεν.
(Γο.)   Σώστραθ', ὑπεραισχύνομαι
γυναιξὶ⟨ν⟩ ἐν ταὐτῷ—
(Σω.)   τίς ὁ λῆρος; οὐ πρόει;
οἰκεῖα ταῦτ' ἤδη νομίζειν πάντα δεῖ.
Σιμ.   ἄπειμι, νὴ τὴν Ἄρτεμιν, κἀγώ. μόνος
ἐνταῦθα κατακείσει· τάλας σὺ τοῦ τρόπου.   875
πρὸς τὸν θεόν σε βουλομένων [τούτων ἄγειν
ἀντεῖπας. ἔσται μέγα ⟨κα⟩κὸν πάλιν [τί σοι,
νὴ τὼ θεώ, ⟨καὶ⟩ μεῖζον ἢ νῦν. εὖ πά[θοις.

866 Prodeunt e sacello Sostrati mater, ex Cnemonis aedibus **Gorgia**
matrem et sororem ducens   873 Exeunt omnes in sacello. Aperit
portam Cnemonis Simica; tum consistit in limine Cnemonem intus re-
morantem adloquens   878 Claudit portam et prodit in scaenam Simica

861 φρονουνθ' Π: ποιοῦνθ' Stob.: πονοῦνθ' Grotius ('recte, nam caput
Stobaei est περὶ φιλοπονίας'—Koerte: sed cf. 862)   867 μητερα Π
868 ἱκέτευέ μ' Ll.-J.: ικετευεν Π   869 post αὐτόν notam interrogationis
posuit Ll.-J. (cf. 163; Sam. 197, Peric. 221 cft. Diano)   870 τοιοῦτος
Gorgiae dederunt plerique: nullum duplex punctum post hoc verbum
habet Π   873 οἰκεῖα ed. pr.: ουκ' εια Π   877 τί σοι Page   878 ⟨καὶ⟩
Ll.-J.: ⟨πολὺ⟩ Fraenkel

Γε.   ἐγὼ προσελθὼν ὄψομαι δεῦρ' α[∪–∪–◡   879
        αὐλεῖ
        τί μοι προσαυλεῖς, ἄθλι' οὗτος; οὐδέπω σχολή [μοι.
        πρὸς τὸν κακῶς ἔχοντα πέμπουσ' ἐνθαδί μ'· ἐπίσ[χες.

Σιμ.   καὶ παρακαθήσθω γ' εἰσιὼν αὐτῷ τις ἄλλος ὑμῶ[ν.
        ἐγὼ δ' ἀποστέλλουσα τροφίμην βούλομα⟨ι⟩ λαλῆ[σαι
        αὐτῇ, προσειπεῖν, ἀσπάσασθαι.

(Γε.)   νοῦν ἔχεις· βάδ[ιζε.
        τοῦτον δὲ θεραπεύσω τέως ἐγώ. πάλαι δ[έδοκται   885
        τ[οῦτον] λαβε[ῖν] τὸν καιρόν, ἀλλὰ διαπορ[ῶ τί χρὴ
           δρᾶν.

                ]ετει καὶ τῶν β[
        ο]ὔπω δυνη.[   ]ι, μάγειρε
        Σίκων, πρόελ[θε δ]ε ῦρό μ[ο]ι [κἄκουσ]ον. ὦ Πόσειδον·
        οἵαν ἔχειν οἴμ[αι δι]ατριβήν.   890

(Σικ.)   σύ μ[ε κα]λεῖς;

(Γε.)   ἔγωγε.
        τιμωρίαν [βούλ]ει λαβεῖν ὧν ἀρτίως ἔπασχες;

(Σικ.)   ἐγὼ δ' ἔπασχ[ον ἀ]ρτίως; οὐ λαικάσει φλυαρῶν;

(Γε.)   ὁ δύσκολος [γέρ]ων καθεύδει μόνος.

(Σικ.)   ἔχει δὲ ⟨δὴ⟩ πῶς;
        οὐ παντάπ[ασ]ιν ἀθλίως;

(Γε.)   οὐκ ἂν δύναιτό γ' ἡμᾶς
        τύπτειν ἀναστάς.   895

879 Aperit sacelli portam Geta, aliquem intus remorantem etiamnunc adloquens; deinde prodit in scaenam. Hunc sequitur e sacello tibicen et canere incipit. Tibicinem increpat Geta; quem audit Simica ab aedibus Cnemonis veniens, dictis compellat, et exit   889 Aperit portam sacelli Geta et coquum evocat   890 Prodit in scaenam Sico

879 tetrametrum fuisse suspicatur Barrett   880 σχολή [μοι plerique 881 ἐπίσ[χες Kassel, Sydn.   884 αὐτῇ Kassel: ταυτηι Π   885 δ[έδοκται Thierfelder   886 τ[οῦτον] λαβε[ῖν] τὸν καιρόν plerique   διαπορ[ῶ τί χρὴ δρᾶν Maas   887 ετει vel εςει   889 [κἄκουσ]ον Post : [σὺ θᾶττ]ον ed. pr. 890 οἴμ[αι Barigazzi   893 [γέρ]ων Barrett, Turner   δὲ πῶς [νῦν; Page

ΔΥΣΚΟΛΟΣ

(Σικ.)   οὐδ' ἀναστῆναι ⟨γάρ⟩, ὡς ἐγῷμαι.

(Γε.)   ὡς ἡδὺ πρᾶγμά μοι λέγεις. αἰτήσομ' εἰσιών τι.

(Σικ.)   ἔξω γὰρ ἔσται τῶν φρενῶν.

(Γε.)   τὸ δ⟨ε⟩ῖνα· πρῶτον⟨, ὦ τᾶν,⟩

ἔξω προελκύσωμεν αὐτόν, εἶτα θέντες αὐτοῦ
κόπτωμεν οὕτω τὰς θύρας, αἰτῶμεν, ἐπιφλέγωμεν·
ἔσται τις ἡδονή, λέγω.   900

(Σικ.)   τὸν Γοργίαν δέδοικα
μὴ καταλαβὼν ἡμᾶς καθαίρῃ.

Γε.   θόρυβός ἐστιν ἔνδον,
πίνουσ⟨ιν⟩· οὐκ αἰσθήσετ' οὐδείς. τὸ δ' ὅλον ἐστ⟨ὶν⟩
ἡμῖν
ἄνθρωπος ἡμερωτέος· κηδεύομεν γὰρ αὐτῷ,
οἰκεῖος ἡμῖν γίνετ'· εἰ δ' ἔσται τοιοῦτος ἀεί,
ἔργον ὑπενεγκεῖν.   905

(Σικ.)   πῶς γὰρ οὔ;

(Γε.)   λαθεῖν μόνον ἐπιθύμει
αὐτὸν φέρων δεῦρ' εἰς τὸ πρόσθεν· πρόαγε δὴ σύ.

(Σικ.)   μικρὸν
πρόσμεινον, ἱκετεύω σε· μή με καταλιπὼν ἀπέλθῃς.
καὶ μὴ ψόφει, πρὸς τῶν θεῶν.

(Γε.)   ἀλλ' οὐ ψοφῶ, μὰ τὴν Γῆν.
εἰς δεξιάν.   909

(Σικ.)   ἰδού.

(Γε.)   θὲς αὐτοῦ. νῦν ὁ καιρός· εἶέν.

908 Intrat aedes Cnemonis Sico   909 Redit Cnemonem in cathedra
dormientem portans; Getae oboediens dextrorsum versus cathedram ante
sacelli fores sistit

---

895 ⟨γάρ⟩ ed. pr.   897 ⟨, ὦ τᾶν⟩ ed. pr.   898 προελκύσωμεν Thier-
felder: προσελκυcωμεν Π   αὐτοῦ ed. pr.: αυτον Π   900 εcταιcτιc Π
903 ἡμερωτέος Kassel: ημερωτεροc Π   904 ἀεί Page: αιει Π   906 δή
σύ ed. pr.: cυ δη Π   μικρὸν Siconi dederunt Diano, Merkelbach:
Getae continuat Π   909 post ἰδού nullum duplex punctum
habet Π

ἐγὼ προάξω πρότερος—ἦν—καὶ τὸν ῥυθμὸν σὺ τήρει.
παῖδες καλοί, παῖ, παιδίον, ⟨παῖ,⟩ παῖδες.   912

(Κν.)   οἴχομ᾽, οἴμοι.

(Γε.) τίς οὗτος; ἐντεῦθέν τις εἶ;

(Κν.)   [δη]λονότι. σὺ δὲ τί βούλει;

(Γε.) λέβητά σ᾽ αἰτοῦμαι παρ᾽ ὑμῶν καὶ σκάφος.

(Κν.)   τίς ἄν με

στήσειεν ὀρθόν;   915

(Γε.)   ἔστιν ὑμῖν, ἔστιν ὡς ἀληθῶς.

καὶ τρίποδας ἑπτὰ καὶ τραπέζας δώδεκ᾽· ἀλλά, παῖδες,
τοῖς ἔνδον ⟨εἰσ⟩αγγείλατε· σπεύδω γάρ.

(Κν.)   οὐδὲν ἔστιν.

(Γε.) οὐκ ἔστιν;

(Κν.)   ⟨οὐκ⟩ ἀκήκοας μυρ⟨ι⟩άκις;

(Γε.)   ἀποτρέχω δή.

(Κν.) ὦ δυστυχὴς ἐγώ· τίνα τρόπον ἐνθαδὶ προήχθην;
τίς μ᾽ εἶ]ς τὸ πρόσθε κα⟨τα⟩τέθηκεν;   920

(Σικ.)   ἄπαγε δὴ σὺ καὶ δή.

παῖ, παι]δίον, γυναῖκες, ἄνδρες, παῖ, θυρωρέ.

(Κν.)   μαίνει,

ἄνθρ]ωπε; τὴν θύραν κατάξεις.

(Σικ.)   δάπιδας ἐννέ᾽ ἡμῖν

χρήσα]τε.

912 Cnemonis portam violenter pulsat Geta   918 Abit Geta   920 Succedit Getae Sico et Cnemonis portam pulsat

910 ἦν ed. pr.: μη Π: ἅμα Page   911 παιδιον παιδες παι παιδιον οιχομ᾽ οιμοι del. Barrett et Page, scribam v. 912 mendose scripsisse, tum per incuriam non delevisse rati: ed. pr. emendare conati sunt   913 duplex punctum post εἰ, sed non post βούλει habet Π   τίς... εἰ Getae dant Merkelbach et Sandbach (coll. Peric. 184): Cnemoni continuat Π   914 λέβητά σ᾽ αἰτοῦμαι ('rogo te vasculum ex aedibus vestris') Page: λέβητας ed. pr. σκάφος ed. pr.: cφακον Π   917 ⟨εἰσ⟩αγγείλατε Page: ⟨αὖτ᾽⟩ ἀγγ. ed. pr.   919 vid. ad v. 574   920 τίς μ᾽ εἶ]ς Handley, Page   κα⟨τα⟩τέθηκεν Handley   καὶ post ἄπαγε δὴ del. ed. pr.   923 χρήσα]τε Barrett

ΔΥΣΚΟΛΟΣ

(Κν.)   πόθεν;
(Σικ.)   καὶ παραπέτασμα βαρβαρικὸν ὑφαντὸν
ἑκατὸν] ποδῶν τὸ μῆκος.
(Κν.)   ἑκατόν· εἴθε μοι γένοιτο
ἐ]ν[ός] π[ο]θεν. γραῦ· ποῦστιν ⟨ἡ⟩ γραῦς;   925
(Σικ.)   ἐφ' ἑτέραν βαδίζω
θύραν;
(Κν.)   ἀπαλλάγητε δή. γραῦ Σιμίκη. κακόν σε
κακῶς ἅπαντες ἀπολέσειαν οἱ θεοί. τί βούλει;
(Γε.)   κρατῆρα βούλομαι λαβεῖν χαλκοῦν μέγαν.
(Κν.)   τίς ἄν με
στήσειεν ὀρθόν;
(Σικ.)   ἔστιν ὑμῖν, ἔστιν ὡς ἀληθῶς
τὸ παραπέτασμα, παπία.   930
(Κν.)   μὰ τὸν Δί', οὐδ' ὁ κρατήρ.
τὴν Σιμίκην ἀποκτενῶ.
(Σικ.)   κάθευδε μη⟨δὲ⟩ γρύζων.
(Γε.)   φεύγεις ὄχλον, γυναῖκα μισεῖς, οὐκ ἐᾶς κομίζειν
εἰς ταὐτὸ τοῖς θύουσι σαυτόν· πάντα ταῦτ' ἀνέξει.
οὐδεὶς βοηθός σοι πάρεστι· πρῖε σαυτὸν αὐτοῦ.
ἄκουε δ' ἑξῆς· πάντα γαρ . . [. . . .]τισ[935
(Σικ.)   . . . . .]αγκας οὐδὲ τὴν[   ] . . . .
     . . . . .] . ον αἱ γυναῖκες. [‿‿ ‿ ‿‿] παρ' ὑμῶν
τῇ σῇ γυν]αικὶ τῇ τε παιδὶ [περιβ]ολαὶ τὸ πρῶτον

926 Abit Sico   927 Redit Geta et portam pulsat   929 Redit
et Sico

924 ἑκατὸν] Barrett   (Κν.) ἑκατόν; εἴθε, κτλ. Barrett: μηκος εκαστον
(nullo duplici puncto interposito) Π   925 ἐ]ν[ός] Barrett   926 Σι-
μίκη: vid. p. 4   σε Ll.-J.: δε Π   929 verba ἔστιν ὑμῖν fort.
Getae danda sunt   930 μὰ τὸν Δί' Fraenkel, Quincey: παιδιον Π
931 μη⟨δὲ⟩ plerique : μή ⟨τι⟩ ed. pr.   932 γυναῖκα plerique: γυναικας Π
934 αὐτοῦ Arnott, Page: αυτοι Π: αὐτός plerique   935 vestigia post
πάντα dispexit Roberts   936 hinc usque ad finem fabulae orationum
distributio valde incerta   938 [περιβ]ολαὶ Quincey

......]ματ'. οὐκ ἀηδὴς διατρ[ι]βή τις αὐτῶν.

....]ρ[.. ἄ]νωθεν ηὐτρέπιζον συμπόσι⟨ο⟩ν ἐγώ τι
τοῖς ἀνδράσιν τούτοις. ἀκούεις; μὴ κάθευδε.   941

(Κν.)   μὴ γάρ·
    οἴμοι.

(Σικ.)   ⟨◡ –⟩ βούλει παρεῖναι; πρόσ[εχε] κạὶ τὰ λοιπά.
σπουδὴ γὰρ ἦν, ἐστρώννυ⟨ο⟩ν .[..]†μαιστιβας†
    τραπέζας
ἔγωγε· τοῦτο γὰρ ποεῖν ἐμοὶ προσῆκ'. ἀκούεις;
μάγειρος ὢν γὰρ τυγχάνω, μέμνησο.   945

(Γε.)   μαλακὸς ἀνήρ.

(?Σικ.)   ἄλλος δὲ χερσὶν εὔιον γέροντα πολιὸν ἤδη
ἔκλινε κοῖλον εἰς κύτος, μ⟨ε⟩ιγνύς τε νᾶμα Νυμφῶν
ἐδεξιοῦτ' αὐτοῖς κύκλῳ καὶ ταῖς γυναιξὶν ἄλλος.
ἦν δ' ὥσπερ εἰς ἄμμον φοροίης ταῦτα. μανθάνεις σύ;
καί τις βρεχεῖσα προσπόλων εὐήλικος προσώπου   950
ἄνθος κατεσκιασμένη χορεῖον εἰσέβαινε
ῥυθμὸν μετ' αἰσχύνης, ὁμοῦ μέλλουσα ⟨καὶ⟩ τρέμουσα·
ἄλλη δὲ συγκαθῆπτε ταύτῃ χεῖρα κἀχόρευεν.

(Γε.)   ὦ πρᾶγμα πάνδεινον παθών, χόρευε, συνεπίβαινε.

(Κν.)   τύπτε⟨τε⟩; τί βούλεσθ', ἄθλιοι;   955

(Γε.)   μᾶλλον ⟨σὺ⟩ συνεπίβαινε.
ἄγροικος εἶ.

954 Arripit Cnemonem Geta et saltare cogit

940 vestigia ad initium dispexit Roberts   942 ⟨σὺ δ' οὐ⟩ βούλει ex. gr.
Page: ⟨πότῳ⟩ βούλει ed. pr.   πρόσ[εχε] κạὶ Lond., Page (πρόσ[εχε δ]ὴ ed.
pr. contra vestigia in codice)   943 [χα]μαιστιβεῖς Quincey   944 ἐμοὶ
ed. pr.: εμε Π   ad finem τὸν Διόνυσον (glossema ad v. 946) Π   945 μεμνη-
cϙι Π   verba μαλακὸς ἀνήρ Getae dederunt plerique.   An ι post μέμνησο
corruptum est ex duplici puncto? cf. 628, 633   948 ἐδεξιουν Π
949 perobscurum   ἄμμον: ⟨ψ⟩άμμον?   ταῦτα suspectum: fort. στράγγα
(cf. fr. 201 Koerte)   950 βραχεῖσα Lond., sed vid. L.S.J. s.v. βρέχω
953 ἄλλη δὲ ed. pr.: αλλ' ηδη Π   κἀχόρευεν: κἀχόρευον Maas   954 neque
paragraphum sub hoc versu neque dicolon post συνεπίβαινε habet Π
955 τύπτε⟨τε⟩; Fraenkel: τί ποτ' ἔτι; plerique

ΔΥΣΚΟΛΟΣ

(Κν.)   μὴ πρὸς θεῶν.
(Γε.)   οὐκοῦν φέρωμεν εἴσω
ἤδη σε.
(Κν.)   τί ποήσω;
(Γε.)   χόρευε δὴ σύ.
(Κν.)   φέρετε, κρεῖττον
ἴσως ὑπομένειν ἐστὶ τὰ κακά.
(Γε.)   νοῦν ἔχεις· κρατοῦ⟨μεν⟩.
ὦ καλλίνικοι, παῖ Δόναξ, σύ τ᾿, ὦ Σίκων,
αἴρεσθε τοῦτον, ε⟨ἰ⟩σφέρετε. φύλαττε δὴ   960
σεαυτόν, ὡς ἐάν σε παρακινοῦντά τι
λάβωμεν αὖτις, οὐδὲ μετρίως, ἴσθ᾿ ὅτι,
χρησόμεθά σοι τὸ τηνικαῦτ᾿· ἀλλ᾿ ἐκδότω
στεφάνους τις ἡμῖν, δᾷδα.
(Σικ.)   τουτονὶ λαβέ.   965
εἶέν· συνησθέντες κατηγωνισμένοις
ἡμῖν τὸν ἐργώδη γέροντα, φιλοφρόνως
μειράκια, παῖδες, ἄνδρες ἐπικροτήσατε.
ἡ δ᾿ εὐπάτειρα φιλόγελώς τε παρθένος
Νίκη μεθ᾿ ἡμῶν εὐμενὴς ἕποιτ᾿ ἀεί.

Μενάνδρου
Δύσκολος

957-8 Cedit Cnemo, et claudicans agrestem quandam saltationem exhibet
959 A saltatione cessans Geta imperat coquo et servis ut Cnemonem in
sacellum portent   964 Cnemoni abeunti coronam induit Geta.
965 Prodit Sico et plausum spectatores rogat

968-9 = Epitr. fr. 11 Koerte: Poseidipp. Ἀποκλειομένη in P. Heidel-
berg. 183, vv. 6-7 (de quo vid. Maas, Glotta xxxv, 1956, 301) conferunt
Lond., Vogt

958 τὰ κακά: κ^{τα}εικακα (ex duobus vv. ll. τὰ κακά et τἀκεῖ conflatum) Π
κρατοῦ⟨μεν⟩ plerique   959 σύ τ᾿, ὦ Σίκων Ll.-J.: cικωνcυγε Π:
Σίκων, Σύρε Maas   963 τὸ τηνικαῦτ᾿· ἀλλ᾿ ἐκδότω Lond., Thierfelder:
το τηνικα δωεκδοτω Π: τὸ τηνίκ᾿· ἀλλ᾿ ἔξω δότω Page

57

INDICES

Cruce (×) notantur illa vocabula, quae non integra servata, sed coniectura
suppleta vel inserta sunt, circello (°) illa, quae tantummodo in apparatu
critico commemorantur, nota interrogationis aliquot alia, quae varias ob causas
dubia esse videntur

INDEX NOMINVM

59

INDEX VERBORVM

βαδίζω (coni.) 925, -ε 589, 596, 638,
817, ×884, -ειν 361, -ων 137, 150,
-όντων 155, βαδιούμεθα 408

βαθύς °527, -ύ 527 (?)

βάλλω] βαλεῖ 365, βάλλομαι 83, -ει
84

βάπτω] βάψας 200, βεβαμμένου
×657

βάραθρον 394, 575

βαρβαρικός] -όν 923

βέβαιος 789

βελτίων] -ονα 283, -ον 149, 251, 418,
-ιστε 144, 319, 338, 342, 476, 503,
-ον 497

βία] -αν 396

βιάζομαι] βιάζῃ 371, -άσασθαι 253

βίος 21, -ου 275, 715, -ῳ 9, 369, 385,
667, 696, -ον 66, 306, 603, -ους
356, 719

βιωτός] -όν 160

βλέμμα] -τος 258

βλέπω] -ειν ×147

βοηθός 934

βοηθῶ] -θήσειεν 620, 621, -θήσαντα
725

βουλεύω] ἐβεβούλευσο ×53, βουλεύ-
σασθαι 268

βουλή] -ήν °138

βούλομαι ×305, 322, 371, ×499, 512,
735, 742, 787, 796, 825, 883, 928,
-ει 647, 691, 701, 781, 815, 836,
891, 913, 927, 942, -εται 212, 241,
431, 751, -ησθε 46, -εσθε 955,
175, βουλόμενος 106, 310, -η
×577, -ων 876, ἐβουλόμην 708,
784, ἐβουλήθητε °46, βουλήθητε
46, βουληθείς 826

βοῦς (acc. pl.) 474

βοῶ] -ᾷ ×149, 586

βραδύνω] -ειν 62

βραχύς] -ύ 148, ×299

βρέχω] -εῖσα 950, βεβρεγμένου °657

βωλοκοπῶ] βεβωλοκόπηκε 515

βῶλος] -ον 110, -οις 83, 120, 365

γάμος 789, -ου 138, 353, 765, 832,
-ον 64, 562, 864, -ους 851

γαμῶ] ἔγημε 14

γάρ secundo loco 29, 67, 75, 79, 88,
117, 152, 158, 172, 243, 245, 248,
304, 306, 317, 339, 351, 367, 402,
443, 455, 460, 469, 490, 492, 525,
567, 576, 615, 628, 686, ×717,
724, 733, 734, 751, ×776, 795,
803, 808, 897, 903, ×935, 943,
944, tertio loco 61, 379 (?), 384,
407, 438, 670, 682, 742, 764, ×895,
945, quarto loco 62, °91, 332,
376 (?), 382, quinto loco ×693,
ἀλλὰ . . . γάρ 607, 663, δὴ γάρ
×365, εἰ γάρ °349, καὶ γάρ ×47, 230,
769, μὲν γάρ 565, 798, μὴ γάρ
941, οὐ γάρ; 782, πῶς γὰρ ἄν;
814, πῶς γὰρ οὔ; 905, τί γάρ;
553, 636, 672, γὰρ δῆτα °365

γε ×76, ×180, 201, 226, 249, ×313,
360, 414, 422, 434, 442, 510, 514,
°557, 569, 592, 629, 649, 676,
681, ×713, ×731, ×774, 835, 894,
×895, °959, ἀρά γε 518, ἆρα . . . γε
168, δέ γε 844, εὖ γε 300, καὶ . . .
γε 69, 143, 301, 320, 468, 586, 775

γειτνιῶ] -ῶν 11, -ῶσι 458

γείτων 663, -ονα 331, -όνων 25, 32,
594, -όσιν 491

γενναῖος] -ως 806

γεννικός] -όν 321

γένος 65

γέρων 30, 123, 530, 628, 747, -οντος
575, -οντα 247, 661, 852, 946, 966

γεύομαι] -σομαι 566

γεωργός 130, 604, 754, 775, -όν 117

γεωργῶ] -εῖν 4, -ῶν 328, -οῦντος 40

γῆ] γῆς 635 (bis), (Γῆν 908)

γίνομαι] -εται 19, 244, 662, 785,
×789, 862, 904, ἐγένετο 154,
γενώμεθα 228, -οιτο 21, 158, 159,
188, 301, 924, -οισθε 565, -έσθαι
295, 721, 856, -όμενον 23, 354,

INDEX VERBORVM

εἰ cum indic. praes. 198 (?), 284, 314, 384, 517, 601 (?), 781, 798, 801, cum indic. imperf. ×743, cum indic. fut. 904, cum indic. perf. 303 (?), 309, 315, [vid. 384], cum. opt. praes. 733 (?), cum opt. aor. 367, 578, εἰ γάρ °349 vid. εἴπερ

εἷα °873

εἷέν 909, 965

εἴθε cum opt. aor. 924

εἰκῇ ×353

εἰκότως 737

εἰλικρινής] -ῶς ×604

εἰμι] ἴωμεν 871, ἴθι 375

εἰμί 65, 145, 307, 361, 425, °550, 615, °635, 813, εἶ 320, 552, 635, 737, °801, 806, 836, 913, 956, ἔστι 115, 130, 169, 327, 452, 465, 478, 520, 583, 599, 636, 915 (bis), 917, 918, 929 (bis), ἐστί 27, 45, 61, 74, 77, 78, 83, 94, 124, 128, 160, 181, 184, 202, 208, 218, 246, 257, 293, 296, 297, 324, 326, 332, 343, ×347, 358, 377, 384, 389, 393, 400, 437, 455, 459, 464, 469, 480, 515, 518, 588, 593, 604, 630, 646, 665, 694, 729, 746, 754, 763, 772, 774, 796, 809, 811, 815, 841, 901, 902, 925, 958, εἰσίν 609, 639, ×644, 777, ἦ 268, ×495, 869, εἶναι 1, 105, 178, 232, 241, 271, 283, 369, 492, 714, ×717, 732, 823, 830, 833, ὤν 13, 306, 318, 766, ×775, 800, 945, ὄντα (m. sing.) 259, 662, οὖσαν 715, ὄντα (n. pl.) 323, ὄντων 343, οὖσι 521, ἔσται 215, 429, 571, 747, 779, 810, 877, 897, 900, 904, ἔσονται 562, ἔσεσθαι 657, ἦν (tert. pers.) 20, 24, 136, 153, 223, 235, 486, 533, 684, ×744, 745, 943, 949, ἦσαν 743

εἴπερ cum indic. praes. 380, 593

εἶπον vid. λέγω

εἰς 43, 66, 103, 109, 111, 120, 141, 161, 191, 231, 251, 277, 279, 282, 298 (bis), 320, 356, 383, 394, 418, °432, 545, 561, 575, 582, 671, 725, 744, 773, 777, 799, 840, 906, 909, ×920, 933, 947, 949   vid. ἐς κόρακας

εἰς 464, 644, 711, 722, 735, ἑνός 756 (?) ×925, ἑνί 524, ἕνα 26, 484, 598, μιᾷ 187, 864, ἕν 35, 713

εἰσαγγέλλω] εἰσαγγείλατε ×917

εἰσαπολλύω °681

εἰσβαίνω] εἰσέβαινε 951

εἴσειμι] εἴσιτε 439, -ιών 781, 882, 896

εἰσέρχομαι] εἰσήλθομεν 670

εἰσκυκλῶ] εἰσκυκλεῖτε ×758

εἰσπηδῶ] εἰσπεπήδηκεν ×602

εἰσπίπτω] εἰσπεσών ×641

εἰσφέρω] -ετε ×960, εἰσένεγκε 616

εἴσω 420, 590, 596, 638, 758, 956

εἶτα 119, 153, 156, 297, 415, 529, 537, 617, 627, 898

εἴτε °598, 599

εἴωθα 163, -εν 359

ἐκ (ἐξ) 11, 81, 330, °396, 577, 594, 609, 822

ἕκαστος 745, -ους 719, -τα 45

ἑκατόν ×924, 924

ἐκβαίνω] ἐξέβη 685

ἐκδίδωμι] ἐκδότω 963, -δώσειν 336

ἐκεῖ 101, 358, 378, °958

ἐκεῖθεν 810

ἐκεῖνος 154, 185, 539, 685, -νῳ 217, -ον 208, 680, 793, -ης 618, 833, -ην 196, ×305, 336, -ο 741, -αι 858, -αις 479

ἐκεῖσε °351

ἐκπίνω] ἔκπιθι 641

ἐκπίπτω] ἐκπεσών °641

ἐκποδών 747

ἔκτοπος] -ου 624, 690, -ως 824

ἐκφέρω] -ε 375

ἑκών 819 (bis), °836.

εὔχομαι] -εσθε 661
ἐφεξῆς 34
ἐφευρίσκω] ἐφεύρομεν 209
ἔφοδος] ×543
ἔχις 480
ἔχω 54, 58, 379, 505, 559, 692, 845,
846, -εις 317, 736, 801, 812, 845,
884, 958, -ει 183, 254, 569, 777,
829, 893, -ομεν 612, -ετε 129, -ουσιν
720, -ης 642, -ητε 176, ἔχε 338,
-ειν 44, 547, 890, -ων 28, 30, 257,
307, 329, 334, 364, 471, 523, 544,
698, 730, 731, 745, 836 (?), -οντα
380, 834, 881, εἶχεν 121, ἕξεις
×250, 339, -ει 134, 853, σχεῖν ×38,
ἔχεται (med.) 395
ἐῶ] ἐᾶς 223, 727, 932, ἐῶμεν (coni.)
×541, ἔα 339, ἐᾶτε (imperat.) 735,
ἐῶντα 724, ἐάσατε 622
ἔωθεν 131
ἕως ἄν + coni. 428

ζηλῶ] ἐζηλωκέναι 289
ζητῶ] -εῖ 586, -εῖν ×98
ζυγομαχῶ] -ῶν 17, ×250
ζῶ] ζῇ 30, 603, ζῶσι 356, ζῶ (coni.)
°735, ζῆν 380, 735, ×ζῶν 8, ζῶντα
468, ἔζη 19
ζωπυρῶ 547

ἦ 53, 100 (?)
ἤ 73, 88 (bis), 100 (?), 173, 291, 310,
380, 610, 631 (bis), 679, 811, 878
ἡγοῦμαι] ἡγοῦ 638
ἤδη 27, 67, 162, 166, 229, 313, 379,
430, 697, ×776, 843, 848, 873,
946, 957
ἡδονή 900
ἡδύς] -ύ 829, 896, -έως 9, 136, 270,
658, 726, -ιστον 332
ἠήν ×465
ἦθος] ἤθει 764
ἥκω 55, 107, 265, 543, -εις 110,
-ομεν 255, ἧκε 504, 617, ἥκοντα
×42, ἥξω ×200, -ειν 539

ἡλικία] -αν 28
ἥλιος 535
ἡμεῖς 209, 243, 599, 859, 871, -ῶν
168, 286, 352, 367, °482, 646,
793, 856, 969, -ῖν 210, ×241, 295,
364, 374, 437, 455, 562, 728, 796,
841, 849, 854, 902, 904, 922, 964,
966, -ᾶς 39, 70, 125, 242, 325,
340, 348, 372, 431, 622, 700, 749,
894, 901
ἡμέρα] -ᾳ 187, 864, -αν 755, -ας 17
ἥμερος] -ώτερος °903
ἡμερῶ] -ωτέος ×903
ἥμισυς] -υ 738
ἤν 910
ἡνίκα 336

θαλλός] -οῦ 395
θάνατος] -ων 292
θαρρῶ] θάρρει 692, τεθάρρηκα ×692
θάτερος vid. ἕτερος
θᾶττον vid. ταχύς
θαυμάζω] τεθαύμακα 79
θέα] -ας ×690
θέλω] θέλῃς ×199
θεός 450, -ῷ 260, 347, 433, 458,
×663, -όν 876, νὴ τὼ θεώ 878, -οί
139, ×600, 639, 927, -ῶν 448,
πρὸς θεῶν 411, °468, 657, 956,
πρὸς τῶν θεῶν 341, ×468, 750,
751, 908, πρὸς θεῶν καὶ δαιμόνων
622, ναὶ πρὸς θεῶν 201, ναὶ πρὸς
⟨τῶν⟩ θεῶν 503, τοῖς 452, 736, μὰ
τοὺς θεούς ×196, 459, 544, 667,
μὰ τὸν Ἀπόλλω καὶ θεούς 151, νὴ
τοὺς θεούς 182, 592, 675, 788, ὦ
θεοί °90, ὦ πολυτίμητοι θεοί 202,
381, 479
θεράπαινα] -αν 31
θεραπαινίδιον] -α 460
θεραπεύω] -σω 885
θεράπων 496, -οντα 560
θερμός] -όν 193
θήρα] -αν 42

μαστιγῶ] ἐμαστίγου 142
μάστιξ] [-γγα glossa marginalis ad v. 113]
μάτην 255, 339, 348
μάττω 549
μάχομαι] -ωμαι 634, -όμενος ×605, -εῖται 355
μέγας] μεγάλου 91, μέγαν 928, -α 877, μεῖζον 878, -ω 825, μέγιστον 835
μεθύω 60
μείγνυμι] μειγνύς 947
μειράκιον 219, (acc.) 559, (voc.) 269, 299, 311, 342, 539, 729, 843, -α 967
μειρακύλλιον 27
μελαγχολῶ] -ῶν 89
μέλλω] -εις 564, 590, -ων ×584, -ουσα 260, 952, ἔμελλες 216, -ομεν 673
μέλω] -ει ×240, 752, ἔμελεν ×679
μέμνημαι] μέμνησο ×945
μέν 103, 186, 198, 253, 259, 274, 297, 394, ×425, 509, 544, 643, 658, 673, 697, 735, 754, 791, 823, μὲν οὖν 542, 771, 774, μὲν γάρ: vid. sub γάρ
μέντοι 151
μένω] -ειν 274, -οντες °851
μερίς] -ίδα 283
μέρος 18, 164, 725, -ει 767
μέσος] -ου 81, 495, -οις °708
μετά cum genet. 42, 137, 254, 333, 360, 367, 388, °582, 608, 748, 952, 969, cum acc. ×582
μεταβολή] -ήν 279, ×769, -άς °769
μετάγω] -ήγαγε 848
μεταδίδωμι] -δίδου 818, -διδούς 800, -δοίη 569, -δοῦναι 642
μεταλλαγή] -ήν 273
μεταμέλω] -ει 12
μεταπείθω] -εις 317, -είσαι 252, -εῖσαι ×712
μεταστρέφω] μετεστρεφόμην 529

μεταφέρω] -ειν 585
μετάφρενον 524
μετέωρος] -ον 395
μετοικοδομῶ] -ήσειν ×446
μέτριος] -ια 745, οὐδὲ μετρίως 314, 962
μέχρι cum genet. 33, 274
μή I in sententiis principalibus prohibitivis: cum imperat. praes. 215, 338, 410, 513, 750, 941, cum coni. praes. ×242, cum coni. aor. 467, sine verbo 468, 591, °846, 941, 956 II in sententiis secundariis (i) condicionalibus 384, 483, 801, (ii) relativis ×800 (iii) cum infin. 232, 502, 508, 576 III post verbum timendi 901 vid. ἆρα μή
μηδαμῶς 502, 617, 634, 751
μηδέ °242, 268, 385, 642, °801, 846(?), ×931
μηδείς 237, -ενί 427, 642, 799, -έν 277, 280, 316, 386, 421, 819
μῆκος 924
μήν] ἀλλὰ μήν 572, οὐ μὴν ἀλλά 226
μήτε ... μήτε ... 284-5
μήτηρ 260, 555, -έρα 26, 495, 617, 698, 739, 847, -ερ 867
μικρός] -οῦ (masc.) 16, -όν (nom. neutr.) 24, -οῦ (neutr.) 438, 669, 681, 687, -όν (acc. neutr.) 255, ×358, 557, 783, 906
μιμοῦμαι] μιμώμεθα 243
μισθῶ] -ωσόμενον 264, -ώσηται 665
μισθωτός] -όν 331
μισοπόνηρος] -ον 388
μισῶ] -εῖς 932, -ῶν 34
μνεία] -αν 67
μόλις 537, 684, 722
μόνος 30, 130, 132, 150, 207, 329, 331, 869, 874, 893, -η 334, -ην 222, 443, 617, -ας 782, -ον (adv.) 17, 771, 905, -α 699

μυριάκις 918
μυρίος] -οις 490

ναί 510, ναὶ μὰ τὸν Δία 437, ναὶ
πρὸς θεῶν 201, ναὶ πρὸς τῶν θεῶν
503
νᾶμα 947
νάπη] -ην 351
νεανίας 526
νεανίσκος] -ου 792, -ῳ 414, -ον 39
νέος] -ῳ 789
νεωλκῶ] -ῶν 399
νεωστί 15
νή] νὴ τὸν Ἀπόλλω ×659, νὴ τὸν
Ἀπόλλω καὶ θεούς ×151, νὴ τὴν
Ἄρτεμιν 874, νὴ Δία 94, 162, 234,
320, 434, 467, 516, 531, 681, 774,
νὴ τὸν Δία τὸν μέγιστον 835, νὴ
τὸν Διόνυσον ×639, νὴ τὸν Οὐρανόν
629, νὴ τὼ θεώ 878, νὴ τοὺς θεούς
182, 592, 675, 788
νομίζω 271, 741, -ετε (imperat.) 2,
484, -ειν 873, -ων 225, 290, 792,
-ισον 732, -ίσας 369, νενομίκατε
173
νόμος] -ον ×253
νουθετῶ] -ῶν 252
νοῦς] νοῦν 28, 129, 176, 736, 884,
958
νυμφαῖον] 2, 400
νύμφη] -ην 795
νυμφίος] -ον 337, 748, 795
νῦν 69, 99, 125, 133, 160, 190, 358,
457, 485, 509, 538, 541, 597, 610,
630, 695, 715, 722, 729, 730,
×781, ×793, 863, 909
νυνί 25, 158, 238, 288, 382, ×643,
856
νύξ] νυκτός 18, -α 850

ξυλοφορῶ] -ῶν 31

ὁ 21, 28, 30, 82, ×108, 153, 199, 207,
213, 241, 245, 257, 301, 311, 325,

328, 343 (bis), 399, 449, 450, 480,
485, 504, 530, 535, 536, 541, 556,
584, 607, 625, 628, 637, 670, 675,
683, 684, ×747, 753 (bis), 761,
866, 872, 893, 903, 909, 930, 945,
τοῦ (masc.) 15, 138, 173, 179, 182,
213, 236, 275, 330, 550, 575, 609,
633, 678, 715, 742, 765, 770, 792,
832, 875, τῷ (masc.) 9, 13, 67, 72,
73, 226, 274, 321, 347, 369, 388,
413 (bis), 433, 458, 483, 508, 517,
×663, 667, 696, 781, τόν 1, 5
(bis), 22, 23, 28, 43, 48 (bis), 62,
66, 71 (bis), 89, 98, 112, 119, 148,
151, 160, 182 (bis), 190, 204, 216,
231, 233, 245, 247, ×253, 254,
259, 262, 282, 306, 401, 407 (bis),
412, 437, 493, 502, 524, 545, 560,
562, 576, ×582, 594, 626, 629,
639, 659, 661, 666, 693, 717, 718,
724, 773, 799, 820, 835 (bis),
×852, 861, 876, 881, 886, 900,
910, 930, 966, ἡ 22, 29, 34, 190,
260, 340, 384, 390, 411, 542, 555,
558, 588, 646, 672, 673, 925, 968,
τῆς 1, 18, 33, 73, 74, 87, 97, 228,
312, 318, 353, 425, 466, 498, 532,
597, 609, 624 (bis), 669, 737, 801,
845, τῇ 35, 41, 235, 248, 264, 482,
490, 493, 682, 724, 749, 821,
×938, 938, τήν 26, 28, 30, 78, 90,
×97, 115, 132, 138, 162, 188,
×200, 227, 257, 267, 276, 279
(bis), 294, 333, 349, 351, 359,
373, 375, 376, 380, 399, 427, 439,
443, 446, 452, 454, 476, 501, 527,
530, 542, 551, 570, 579, 582, 586,
617, 626, 656, 666, ×687, 689,
698, 716, 739, 752, 755, ×760,
791, 792, 794, 827 (bis), 828, 843,
847, 848, 850, 868, 874, 908, 922,
931, 936, τό (nom.) 2, 20, 62, 76,
97, 178, 180, 218, 219, 393 (bis),
400, 418, 431, 438, 450, 456,

INDEX VERBORVM

464, 545, ×546, ×810, 930, τοῦ
(neutr.) 81, 100, ×164, 315, 326,
577, 737, 738, τῷ (neutr.) 63,
146, 186, 233, 253, 254, 395, 537,
592, 625, 634, 637, 678, 767, 872,
τό (acc.) 15, 18, 56, 109, . 111,
117, 120, 124, 141, 161, °173,
184, 185, 186, 191, 242, 246, 251,
279, 353, 383, 392, 394, 398, 450,
489, 525, 532, 541, 559, 571, 575,
582, 583, °598, 633, 641, 671,
674, 682, 720, ×738, ×739, 759 (?),
764, 776, ×841, ×846, 857, 897,
902, 906, 920, 924, 933, 938, 963,
τώ 878, οἱ 139, 221, 447, 451,
×497, ×600, 927, τῶν (masc.) 3, 32,
58, 155, 285, 324, 341, 448, ×468,
485, 495, 503, 594, 721, 750, 751,
908, τοῖς (masc.) 272 (bis), 280,
287, 294, 452, 458, 483, 491, 508,
664, 736, 917, 933, 941, τούς 91,
157, 165, 182, ×196, 266, 339,
356, 459, 544, 547, 592, 608, 667,
675, 719 (bis), 788, ×851, αἱ 311,
403, 444, 477, 643, 937, τῶν
(fem.) 857, 897, ταῖς 121, 167,
258, 286, 365, 948, τάς 3, 15, 36,
51, 174, 423, 673, 848 (bis), 899,
τά (nom.) 45 (bis), 455, ×568, 699,
743, τῶν (neutr.) 29, 189, 295,
343, 385, 514, 713, 740, 859, τοῖς
(neutr.) 278, 521, τά (acc.) 57,
80, 152, 265, 275 (bis), 320, 323,
334, 396, 421, 453, 474, 519, 536,
549 (?), 561, 736, 744, 853, 942,
958, τῶν (incerti generis) 887
ὅδε] τοῦδε ×185, τῷδε 663, τόνδε
×235, τήνδε 732, ×761, τόδε ×347,
τούσδε 230
ὁδί] τηνδί 212, τοδί ×400
ὁδός] -όν 115, 162, ×399
ὀδύνη] -ης 88 (?), -ας 606
ὀδυνῶ] ὠδυνημένος ×125
ὅθεν 2

οἱ (= quo) 361, 363
οἶδα 13, 133, 185, 261, 326, 408,
485, 565, 827, 858, οἶσθα 115,
798, 813, οἶδε 246, ×252, 385, 697,
ἴστε 124, ἴσθι 127, 295, 313, 615,
°741, 819, 962, εἰδυῖα 36
οἴκαδε 79, 133, ×616
οἰκεῖος 904, -ον 330, -εῖα ×873
οἰκειότης] -ότητα 240
οἰκέτης] -η 75, -ην 26, 330
οἰκία] -ας 74, 97, 312, 624, -αν 90,
132, 443, 446
οἰκοδομῶ] -ήσετε ×176
οἴκοθεν 71
οἴκοι 618
οἰκῶ] -εῖ 5, -ῶν 89
οἶμαι vid. sub οἴομαι
οἴμοι 167, 189, 214, [911?], 912, 942
οἰμώζω] -ετε (indic.) 624
οἴομαι ×429, 730, οἶμαι 461, ×890,
895, οἴει 382, 474, 546, οἴεσθε
657, ᾠόμην 713, 720, ᾤμην 85,
ᾤετο 865
οἷος 324, 755, -ον (acc. masc.) 603,
813, -αν 890, -ον (nom. neutr.)
20, 124, 515, -ον (acc. neutr.) 75
οἴχομαι [911?], 912
ὄλεθρος] -ον 366
ὀλίγος] -α 742
ὀλισθάνω] ὤλισθε 627
ὅλμος] -ον 631
ὅλος °550, -ον (acc. neutr.) 525, 847,
902, -ῳ (neutr.) 537, -ως 60, 613,
861, 865
ὄμνυμι] -ων °762
ὅμοιος] ὁμοία °35
ὁμομήτριος 319
ὁμότροπος] -ον 337
ὁμοῦ 952
ὅμως 13, 391, 410, 426, 726
ὄνειδος ×245
ὄνος ×550, -ων 403
ὄξος 507
ὀξύπεινος] -ως 777

75

ὀξύς] -εῖαν 715, -ύτατον 116

ὁπόθεν 510

ὀπτῶ] -ᾶν 519

ὅπως (quomodo) 485, ὅπως; 625, cum indic. fut. 237, cum coni. 360

ὀργιλος] -ως 102

ὀρθός] -όν 915, 929, -ῶς 581

ὄρθριος] -ον 70

ὀρίγανον °507

ὁρῶ 231, °321, 552, 773, -ᾷς ×552, 695, 837, -ᾶν 47, 332, 485, -ῶν ×321, ×357, 719, -ῶσιν (dat. part.) 287, ὄψομαι 879, -ει °350, -εται 237, -εσθε ×46, ἑώρα 535, εἶδον ×302, -εν 411, ἴδῃ 356, 407, 463, ἴδοιμι ×354, 659, ἰδεῖν 107, 174, 236, 305, 568, 616, -ών 50, 367, ×715, ἑόρακα 669, -εν 409, ὁρατέον °454 vid. ἰδού.

ὅς 163, 868, ὅν 257, 719, 812, ×865, ἧς 786, ἥν 90, 359, ᾧ (neutr.) 156, οἷς (masc.) 232, 340, οὓς 356, 822, ὧν (neutr.) 619, °800, 891, οἷς (neutr.) 382, ἅ (acc. neutr.) 381, 731, 813

ὀσημέραι 261

ὅσος] -ον 276, 805, ἐν ὅσῳ 112, ὅσα 298, 405, 750

ὅσπερ] ὅπερ 157, 216, °727, ἅπερ 474 vid. διόπερ

ὅστις 74, 235, ×246, 486, 522, ×752, ×768, ὅτῳ 250, 261, ὅντινα 363, ἥτις 61, 78, ὅ τι 647, 827

ὁστισοῦν] ὁντινοῦν 344

ὀσφῦς] -ύος 532, -ῦν 373, 451, 524

ὅταν 277

ὅτι 127, 154, 156, 295, 313, 408, 452, 565, °654, 697, 713, ×788, 858, 962

οὐ (οὐκ, οὐχ) 7, 17, 55, 60, 69, 75, 76, 96, 115, 121, 124, 130, 136, 145, 147, 150, 153, 160, 169, 172, 179, 196, 218, 226, 239, 245, 255,

261, 293, 298, 318, 322, 330 (bis), 335, 345, 349 (bis), 389, 391, 393, 397, °406, 434, 439, 444, 471, 478, 485, 488, 501, 505, 509, 511, 512, 528, 538, 544, 558, 566, 596, 611, 628, 639, 678, 684, 686, 716, 724, 725, 726 (bis), 727, 728, 734 (bis), 741, 755, 764, 782 (bis), 784, 786, 787, 794, 796, 814, 827, 829, 832, 834, 836, 854, 872, 892, 894 (bis), 902, 903, 905, 908, 918, ×918, 932, 939, οὐ μὴν ἀλλα: vid. μήν

οὗ (= ubi) 25, 99, 401

οὐδαμοῦ 169, 460

οὐδαμῶς °252

οὐδέ I = neque 137, 471, 729, 755, 785, 936(?) II = ne . . . quidem 163, 170, 314, 342, 344, 357, 475, ×510, 570, 895, 930, 962

οὐδὲ εἷς ×252, 464, 598, 644, 711 (οὐδ' ἂν εἷς), 375, 865 (οὐδ' ἂν εἷς), οὐδὲ ἕν 35, ×752

οὐδείς 324, 534, 902, 934, οὐδενός 513, -ί ×10, 155, -α 10, 329, 333, 720, οὐδέμιαν 223, οὐδέν 121, 143, 158, °247, ×348, 461, 470, 507, ×606, 649, 672, 725, 728, °752, 761, 917, οὐθέν 20, οὐδενός (neutr.) 566, 714, 860, -ί (neutr.)

οὐδέποτε 338

οὐδέπω 867, 880

οὐθείς] -έν 20

οὐκέτι 84, 346, ×692, οὐδὲν ἀλλ' ἔτι 121

οὐκοῦν 956

οὖν 13, 284, 363, °425, 539, 823, μὲν οὖν 542, 771, 774

οὔπω ×888

οὐπώποτε 341, 667

οὔτε 250, ×252, 324, 325, 506 (ter), 507 (bis), 743, ×744, 745, 825, 826

οὗτος 8, 130, 135, 225, 257, 258,